Alexandra Falls in a 32 m plunge. Traditional Dene lore tells of grandmother and grandfather spirits, who are keepers of the falls and the routes around.

TWIN FALLS GORGE TERRITORIAL PARK, NORTHWEST TERRITORIES

Les chutes Alexandra mesurent 32 mètres. Selon une légende denée, les esprits d'un grand-père et d'une grand-mère sont gardiens des chutes et des portages qui l'entourent.

PARC TERRITORIAL TWIN FALLS GORGE, TERRITOIRES DU NORD-OUEST

"I am a Canadian, a free Canadian,
free to speak without fear,
free to worship in my own way,
free to stand for what I think right,
free to oppose what I believe wrong,
or free to choose those
who shall govern my country.
This heritage of freedom
I pledge to uphold for myself
and all mankind."

— *John Diefenbaker, 13th Prime Minister of Canada*
(From the Canadian Bill of Rights, *July 1, 1960)*

« Je suis Canadien, un Canadien libre,
libre de m'exprimer sans crainte,
libre de servir Dieu comme je l'entends,
libre d'appuyer les idées
qui me semblent justes, libre de
m'opposer à ce qui me semble injuste,
libre de choisir les dirigeants de mon
pays. Ce patrimoine de liberté,
je m'engage à le sauvegarder pour
moi-même et pour toute l'humanité. »

— *John Diefenbaker, 13e premier ministre du Canada*
(extrait de la Déclaration canadienne des droits, *1er juillet 1960)*

Cover: The twin peaks of Mount Asgard (the realm of the gods in Norse mythology) rise 2,015 m. The opening sequence of the James Bond film *The Spy Who Loved Me* featured stuntman Ricky Sylvester skiing off the mountain in a startling BASE jump, and floating to safety under the Union flag parachute.

BAFFIN MOUNTAIN RANGE, AUYUITTUQ NATIONAL PARK, NUNAVUT

Couverture : Les sommets jumeaux du mont Asgard (nom inspiré de la mythologie nordique) culminent à 2 015 mètres. Le film de James Bond intitulé *L'espion qui m'aimait* s'ouvre sur des images du cascadeur Ricky Sylvester dévalant la montagne à ski et exécutant un saut extrême remarquable qui se termine sous un parachute aux couleurs de l'Union Jack.

MONTS BAFFIN, PARC NATIONAL AUYUITTUQ, NUNAVUT

copyright © 2013 George Fischer | preface © 2013 Jacob Richler

All rights reserved. No part of this book may be reproduced, stored in a retrieval system, or transmitted in any form or by any means without prior written permission from the photographer, George Fischer.

Photos by George Fischer
Text by Jacob Richler
Design and captions by Catharine Barker,
National Graphics, Toronto, ON, Canada

Printed in China

Nimbus Publishing Limited
PO Box 9166
Halifax, NS
Canada B3K 5MB
Tel.: 902-455-4286

Library and Archives Canada Cataloguing in Publication

Fischer, George, 1954-, photographer
    Canada in colour / photos George Fischer ; text Jacob Richler = Canada en couleurs / photos George Fischer ; textes Jacob Richler.

Includes index.
Text in English and French.
ISBN 978-1-77108-064-4

    1. Canada--Pictorial works. I. Richler, Jacob, author II. Title.
III. Title: Canada en couleurs.

FC59.F57 2013   971.0022'2   C2013-904550-3E

copyright © 2013 George Fischer | preface © 2013 Jacob Richler

Tous droits réservés. Aucune partie de ce livre ne peut être reproduite ou mémorisée dans un système de stockage de données, ou transmise par quel que procédé que ce soit, sans l'accord préalable écrit du photographe George Fischer.

Photos de George Fischer
Textes de Jacob Richler
Maquette et légendes de Catharine Barker,
National Graphics, Toronto, ON, Canada

Imprimé en Chine

Nimbus Publishing Limited
C. P. 9166
Halifax, NE
Canada B3K 5MB
Tél.: 902-455-4286

Catalogage avant publication de Bibliothèque et Archives Canada

Fischer, George, 1954-, photographe
    Canada in colour / photos George Fischer ; text Jacob Richler = Canada en couleurs / photos George Fischer ; textes Jacob Richler.

Comprend un index.
Textes en anglais et en français.
ISBN 978-1-77108-064-4

    1. Canada--Ouvrages illustrés. I. Richler, Jacob, auteur II. Titre.
III. Titre: Canada en couleurs.

FC59.F57 2013   971.0022'2   C2013-904550-3F

PHOTOS **GEORGE FISCHER** TEXT·TEXTES **JACOB RICHLER**

CANADA

IN COLOUR · EN COULEURS

Iconic Mount Thor shades the wide glacial valley
created during the last ice age. Jagged granite peaks
beckon both mountain climbers and thrill-seekers.

BAFFIN ISLAND, AUYUITTUQ NATIONAL PARK, NUNAVUT

Le célèbre mont Thor jette son ombre sur la large
cuvette glaciaire apparue au cours de la dernière
période glaciaire. Ces aiguilles de granite attirent les
alpinistes et les amateurs de sensations fortes.

ÎLE DE BAFFIN, PARC NATIONAL AUYUITTUQ, NUNAVUT

To my wife, Karen Green,
for her unwavering
support and love.

À Karen Green,
mon épouse, pour
son amour et son
soutien indéfectible.

**THE RIGHT HONOURABLE
STEPHEN HARPER,
PRIME MINISTER OF CANADA**

**LE TRÈS HONORABLE
STEPHEN HARPER,
PREMIER MINISTRE DU CANADA**

PRIME MINISTER · PREMIER MINISTRE

Canada in Colour is an extraordinary meditation on the diversity of our great nation. The title is apt; Canada is a land of many hues. From the gold-kissed fields of the Prairies to the austere white snows of the Arctic, George Fischer has captured Canada's many shades through the eye of his lens.

The landscapes captured in these pages reveal our country's extraordinary breadth. Mr. Fischer has a singular talent for telling stories. His photography is a window into Canada's cultural mosaic and the many vistas that define us as Canadians.

These images resonated with me very strongly. They called to mind many treasured memories of my travels across Canada. My journeys to each province and territory, and communities of every size, have been among the greatest privileges of my time as Prime Minister.

This collection is truly a treasure. I encourage readers to take a voyage through these evocative photographs and discover every magnificent corner of the True North, Strong and Free.

Canada en Couleurs est une extraordinaire source de méditation sur la diversité de notre formidable pays. Le titre est bien choisi : le territoire du Canada présente de nombreuses teintes. Du doré qui orne les champs des Prairies à la blancheur austère des neiges de l'Arctique, George Fischer a capté à travers sa lentille toute la gamme de tons qu'offre le Canada.

Les paysages représentés sur ces pages révèlent l'envergure extraordinaire de notre pays. M. Fischer est doté d'un talent de conteur. Sa photographie nous ouvre une fenêtre sur la mosaïque culturelle du Canada et sur les nombreuses scènes qui définissent notre identité canadienne.

Ces images ont eu en moi de profondes résonances. Elles ont réveillé beaucoup de précieux souvenirs de mes voyages à travers le Canada. Mes visites dans chaque province et dans chaque territoire, dans les grandes communautés comme dans les petites, comptent parmi les plus grands privilèges de mon mandat de Premier ministre.

Ce recueil est un véritable trésor. J'invite les lecteurs à y faire un voyage en parcourant ces photographies évocatrices et à découvrir tous les coins magnifiques du Grand Nord fort et libre.

The Rt. Hon. Stephen Harper, P.C., M.P. / Le très hon. Stephen Harper, C.P., député
Prime Minister of Canada / Premier ministre du Canada

The Centennial Flame burns
bright, commemorating Canada's
100th anniversary as a
Confederation, and watches over
the Parliament of Canada.

PARLIAMENT HILL, OTTAWA

La Flamme du centenaire brûle
sans arrêt. Elle commémore le
100e anniversaire de la
Confédération canadienne et
veille sur le parlement du Canada.

COLLINE DU PARLEMENT, OTTAWA

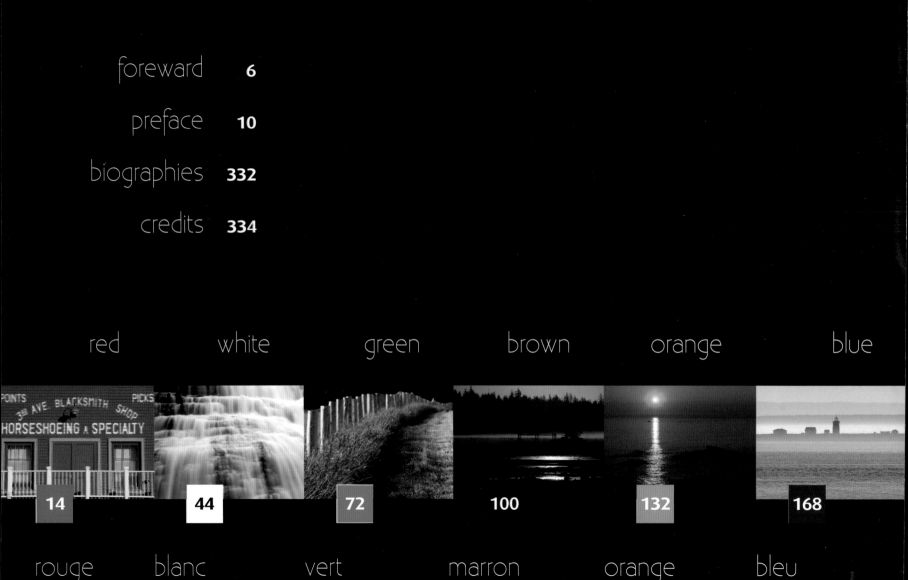

index

Late one afternoon in May 1989 I boarded a westbound train out of Montreal's Central Station, destination uncertain.

What really

mattered to me

was the building

understanding that

Canadians from

different parts

of the country know

shockingly little

about each other.

I was a twenty-year old student and summer still meant a three-month vacation with a job on the side. Where exactly this annual rite unfolded did not matter much. The ticket in my pocket would take me as far as Victoria, if necessary.

The real reason for the trip was to do something new and see some part of the country with which I then felt under-acquainted. Growing up with Montréal as a base for travel meant that I knew New York, had visited Boston and Philadelphia – but my knowledge of Canada beyond Québec was scant.

I had visited the Maritimes several times with my father – most memorably to fly fish for salmon on the Restigouche. Like all kids who grew up in Montréal, I had made the customary short-haul trips to Québec City, Ottawa and Stratford, with my school and parents both. I had visited the Rockies, Calgary and even Edmonton. But at age twenty, I had never once been up north, or even set foot in Manitoba, Saskatchewan or BC.

So on the second day of the journey, as we pulled out of the unfamiliar western exit of Union Station in Toronto, it dawned on me with a mild sense of panic that I could list the names of only a half-dozen towns between there and Calgary. The train chugged on, slowly. And in between chapters of whatever I was reading, I gazed out the window at... well, trees. Nothing but trees! Then, without warning, the greenery gave way to the barren and eerie strip-mined outskirts of Sudbury – which as promised looked just like a moonscape. And so the clichés inexorably unfolded. Next up, two days of emptiness on the prairies, our view from the train confined to tall grass and vast open spaces, and pickup trucks whose highway route shadowed ours on the tracks. Then finally the landscape showed some character again – in the form of pumpjacks, which from a distance looked to be the bobbing heads of strange, giant horses – just as I had been told to expect. Then at last, came a hint of topography in the distance – and soon enough, a feast of it, as we reached the beautiful Rockies at last.

Alas, the seasonal hospitality work was already filled. So after two days in the mountains, it was back on the dreaded train, headed for the relative riches of Vancouver. That evening, as darkness fell and deprived us of the astonishing view, I repaired to the bar car where some co-passengers had set up a portable radio to listen to the hockey game. It was game six of the Stanley Cup finals, and my beloved Habs lost game and Cup to Lanny MacDonald's Calgary Flames. As I sat there stunned, everyone else cheered the fall of the east and the rise of the west. This size of the country was coming into sharper focus.

And it was not a bad harbinger for a move to the opposite coast. I awoke to my first glimpse of the Coast Mountains. I had never seen such huge and beautiful trees. A few days later, I landed a job as a waiter at an inexplicably buzzing restaurant in Kitsilano named Sami's at the Beach. Not my calling – but I did enjoy meeting the locals.

"You're from Montréal?" I was asked, time and again, with incredulity. "You don't *sound* French!"

Sometimes, I would point out that there were approximately the same number of English people in Québec as there were in Vancouver. Usually I did not bother. What really mattered to me was the building understanding that that Canadians from different parts of the country know shockingly little about each other. Most Vancouverites I met thought nothing of a trip to Seattle or Portland but had never ventured east. Just as surely as back in Montréal, my friends and I would drive to New York for a weekend more readily than we would venture down the 401 to Toronto. Same story, coast to coast. And I returned home at summer's end convinced of the need to travel around our own country more instead. It took a while, but between regular domestic vacations and a good flow of reporting assignments, I have finally been lucky enough to criss-cross the country to a reasonable degree of satisfaction.

In the following pages, George Fischer has captured scenes and vistas and moments of arresting beauty from all across the country that for me readily provoke happy memories of my own travels here. Rather than arrange his book of these images geographically, putting it together in some way that focuses on our distinct regions and so highlights our differences, he has instead organised it in a way that only a photographer or painter can see things – according to the predominant colours of the image at hand. So in these pages, rather than groupings arranged according to province, territory or region, you will find photographs organised under the banner of the colours they share – beginning with red.

Say "red" and "Canada" to me and in my mind's eye, I envision a random association sequence that begins with the home jerseys of le bleu-blanc-rouge, the vinyl padding on the Montréal Forum seats I used to watch them from, the maple trees on the shores of Lake Memphremagog in full flaming colour in the fall, Gilles Villeneuve's number 12 Ferrari streaking past the chequered flag at the Canadian Grand Prix, our flag – and our flag dripping with blood, as doctored by the loonies at PETA. For white, I see Voltaire's "quelques arpents de neige," Gilles Vigneault's "Mon pays, c'est l'hiver", Québec City under a metre-deep blanket of snow at New Year's, birch trees, plump Arctic hare ready for the stew pot or terrine mould, lightning over Lake Ontario in a good summer storm, and the view from my downtown Montréal window as huge flakes of snow fall lazily on rue de la Montagne. In green, I see the moss-covered trees of the Haida Gwaii, farmland, and asparagus sprouting from the warming soil of my mother's vegetable patch in early springtime. Brown is cedar-lined lakes, log cabins, barns and glistening maple syrup hardening on the snow at a cabane à sucre. Orange is the sunrise over fields and over water, autumnal leaves, peaches hanging from trees in Niagara, glowing coals in the brazier ready for a summer barbecue, the old signage of that peculiar Ontario institution – The Beer Store, and an Alfa Romeo Montreal (the Expo '67 supercar) I once saw ripping up the Eastern Townships freeway. Blue is water and glaciers, Rocky mountain lakes, night skies, the fleur-de-lys of my long time home province, and the flag we almost all got stuck with in 1964 – the Pearson Pennant. Yellow is hay, good Québec butter and cheese, Niagara ice wine, and the trim on my old school uniform at Selwyn House (some called us bumblebees). Black is the sky at night when the city lights compete with the stars, a bear, a salmon that wintered over in the river, and humpback whales breaking the surface terrifying close to my fishing boat in the Haida Gwaii.

In these pages Fischer takes on all of that, as well as grey, purple, the full rainbow, and something he calls "living colour" besides. He sees some associations that I make, but not a lot. It's personal. What matters is that his images are evocative and brilliant and will stay with you – and I hope will inspire you less to pick up a camera as to book a ticket, and see at least some good part of this wonderful country for yourself. It's well worth it.

—Jacob Richler

Par une fin d'après-midi du mois de mai 1989, j'ai sauté à bord d'un train, à la gare Centrale de Montréal : direction ouest, destination incertaine.

Le plus important pour moi était de constater à quel point les Canadiens des diverses régions du pays ignorent tout ou presque des uns des autres.

Pour l'étudiant de 20 ans que j'étais, l'été était encore synonyme de trois mois de vacances, avec un petit boulot d'appoint. Le lieu où se déroulerait ce rituel annuel importait peu. Au besoin, le billet que j'avais en poche m'amènerait jusqu'à Victoria.

Ce voyage était essentiellement motivé par une envie de nouveauté et un besoin de découvrir un coin du pays que j'estimais connaître trop peu. Ayant grandi à Montréal — et avec cette ville comme point de départ — je connaissais New York et j'avais visité Boston et Philadelphie. Cependant, en dehors du Québec, mes connaissances du Canada étaient limitées.

J'avais souvent séjourné dans les Maritimes avec mon père. D'ailleurs, j'ai gardé un souvenir mémorable de parties de pêche à la mouche à taquiner le saumon au bord de la Restigouche. Comme tous les enfants qui ont grandi à Montréal, j'avais fait, avec l'école ou mes parents, les traditionnels séjours à Québec, Ottawa et Stratford. J'avais aussi visité les Rocheuses, Calgary et même Edmonton. Pourtant, à l'âge de 20 ans, je ne m'étais encore jamais aventuré vers le nord, ni même mis les pieds au Manitoba, en Saskatchewan ou en Colombie-Britannique.

Donc, lorsqu'au deuxième jour de mon périple, au moment où le train quittait la gare Union de Toronto — par une sortie moins familière, en direction ouest — j'ai réalisé, non sans une légère panique, que je connaissais seulement le nom d'une demi-douzaine de villes entre Toronto et Calgary. Le train cheminait lentement. Délaissant parfois ma lecture, je regardais par la fenêtre et je voyais… des arbres. Rien que des arbres. Soudain, sans prévenir, la verdure céda la place aux espaces dénudés et sinistres, legs de l'exploitation minière à ciel ouvert aux abords de Sudbury. On aurait dit un paysage lunaire. Puis, d'autres lieux communs se sont succédé inexorablement. Étape suivante : deux jours d'étendues sans relief dans les Prairies. Dehors, rien que de grandes herbes, de vastes plaines et des camionnettes sur une route longeant notre voie ferrée. Et là enfin, le paysage prit une tout autre allure : des chevalets de pompage qui, comme on l'avait dit, ressemblaient de loin à d'étranges chevaux géants hochant la tête. Puis, un soupçon de topographie est apparu au loin et, peu après, les splendides Rocheuses qui m'en ont mis plein la vue..

Hélas, il ne restait plus d'emplois saisonniers. Après deux jours dans les montagnes, il m'a fallu reprendre le satané train et filer en direction d'une opulence relative, celle de Vancouver. Le soir venu, une fois les vues étonnantes perdues dans l'obscurité, je me suis réfugié dans le wagon-bar, où des compagnons de voyage avaient installé un poste de radio pour écouter un match de hockey. C'était le sixième match de la finale de la coupe Stanley. Mes Canadiens bien-aimés ont perdu ce match et le trophée aux mains de Lanny MacDonald et des Flames de Calgary. Je restais assis, stupéfait, pendant que tous applaudissaient le déclin de l'Est et la montée de l'Ouest. Je commençais tout juste à prendre la pleine mesure de l'immensité de ce pays.

The light of a new day over the dunes of North Beach.
MASSET, HAIDA GWAII, BRITISH COLUMBIA

Un nouveau jour se lève sur les dunes de North Beach.
MASSET, HAÏDA GWAII, COLOMBIE-BRITANNIQUE

Pour un déménagement sur la côte opposée, ce n'était pas un mauvais présage. Au réveil, j'ai aperçu pour la première fois les montagnes de la chaîne Côtière. Jamais je n'avais vu d'arbres aussi imposants et aussi magnifiques. Quelques jours plus tard, je travaillais comme serveur dans un resto étonnamment branché de Kitsilano du nom de *Sami's at the Beach*. Sans être le boulot de ma vie, il m'a donné le plaisir de côtoyer les gens du coin.

Certains avaient peine à croire que j'étais Montréalais.
Ils disaient : « Mais tu n'as pas d'accent français ! »

Parfois, j'expliquais que le Québec comptait à peu près le même nombre d'habitants anglophones que la ville de Vancouver. Le plus souvent, je laissais tomber. Je retenais cependant à quel point les Canadiens d'une région donnée ignorent tout ou presque des habitants ailleurs au Canada. La plupart des habitants de Vancouver que j'ai rencontrés se rendaient volontiers à Seattle ou Portland, mais ils ne s'étaient jamais aventurés vers l'est. De même qu'avec mes amis de Montréal, nous étions plus enclins à filer vers New York le temps d'un week-end qu'à prendre la 401 en direction de Toronto. Même scénario d'un océan à l'autre. À la fin de l'été, je suis rentré chez moi convaincu qu'il fallait voyager davantage dans son propre pays. J'y ai mis le temps, mais grâce aux vacances passées au pays et à un bon nombre de reportages, j'ai eu la chance de parcourir le Canada d'un bout à l'autre et dans une mesure dont je suis plutôt satisfait.

Dans cet ouvrage, George Fischer a saisi, partout au Canada, des scènes, des vues et des instants d'une beauté saisissante. Ces images éveillent en moi d'heureux souvenirs de mes propres séjours. Et plutôt que de réaliser un livre d'images selon un ordre géographique ou selon une association axée sur des régions distinctes, accentuant ainsi nos différences, George a choisi de les disposer conformément à une vision des choses qui est le propre du photographe ou de l'artiste peintre — c'est-à-dire selon les couleurs qui prédominent dans une image donnée. Ainsi, au fil des pages, au lieu d'images regroupées en fonction d'une province, d'un territoire ou d'une région, vous découvrirez des photos présentées sous le thème de couleurs communes — à commencer par la couleur *rouge*.

Les mots « *rouge* » et « *Canada* » évoquent pour moi une série de représentations aléatoires : les maillots « à domicile » bleu-blanc-rouge, le revêtement en vinyle des sièges du Forum d'où je pouvais voir ces maillots, les érables flamboyants sur la rive du lac Memphrémagog à l'automne, la Ferrari numéro 12 de Gilles Villeneuve saluée par le drapeau à damier à la fin du Grand Prix du Canada — et notre drapeau national taché de sang par les exaltés du PETA. Le *blanc* me rappelle les « quelques arpents de neige » de Voltaire, la chanson de Gilles Vigneault : *Mon pays, c'est l'hiver*, ou encore la ville de Québec sous un mètre de neige au jour de l'An, l'écorce des bouleaux, un lièvre arctique bien dodu qui finira dans plat mijoté ou dans une terrine, un éclair sur le lac Ontario durant un orage d'été, les gros flocons de neige que j'aperçois de ma fenêtre à Montréal et qui doucement tapissent la rue de la Montagne. Dites « *vert* » et je vois la mousse qui couvre les arbres de l'archipel de Haïda Gwaii, les champs agricoles, les asperges qui, au printemps, pointent hors du sol tiédi du jardin de ma mère. La couleur *marron* évoque les lacs bordés de cèdres, les cabanes de bois rond, le sirop qui devient tire d'érable près d'une cabane à sucre. La couleur *orange* incarne le soleil qui se lève sur un champ ou sur l'eau, les feuilles d'automne, les pêches du Niagara accrochées aux branches, les charbons embrasés d'un barbecue d'été, la couleur des anciennes affiches d'une institution reconnue de l'Ontario – *The Beer Store*, et une Alfa Romeo Montréal (la supervoiture d'Expo 67) que j'ai vue filer à toute vitesse sur l'autoroute des Cantons de l'Est. *Bleu*, c'est l'eau et les glaciers, les lacs des Rocheuses, la fleur de lys de ma province d'origine, et aussi ce drapeau national dont nous avons presque hérité en 1964 et que l'on avait surnommé « le fanion de Pearson ». *Jaune* représente le foin, les délicieux beurres et fromages du Québec, le vin de glace du Niagara et les couleurs de l'uniforme de mon ancienne école Selwin House (certains nous appelaient « les bourdons »). *Noir* rappelle le ciel de nuit où les lumières de la ville font concurrence aux étoiles et c'est un ours, un saumon qui a hiverné dans la rivière, ou encore des rorquals à bosse qui nous fichent une sacrée frousse en jaillissant tout près de notre bateau de pêche, au large de Haïda Gwaii.

Dans cet ouvrage, George Fischer a rassemblé toutes ces images. Sans oublier le gris, le violet ainsi que toutes les nuances de l'arc-en-ciel, et ce qu'il appelle, en outre, « la couleur vivante ». George a saisi quelques-unes de mes évocations, mais pas toutes. Ces visions sont propres à chacun. Ce qui importe est le fait que les images de George soient évocatrices, brillantes et qu'elles vous accompagnent. J'espère qu'elles vous inciteront, non pas à prendre un appareil photo, mais plutôt à acheter un billet pour découvrir ce merveilleux pays de vos propres yeux. Vous ne serez pas déçu !

—Jacob Richler

rouge

« Le soir venu, vous dites :
Il fera beau, car le ciel est rouge. »

Bible, Saint-Mathieu 16.2

Sunset glows around the Étang-du-Nord Lighthouse. The original building was established in 1874, to warn mariners of Dead Man's Island and mark the western shore of the Magdalen Islands.

ÎLES DE LA MADELEINE, QUÉBEC

Le soleil couchant enveloppe le phare de l'Étang-du-Nord. Le phare d'origine a été érigé en 1874 pour signaler aux marins le danger de l'île Le Corps-Mort et la côte ouest des Îles de la Madeleine.

ÎLES DE LA MADELEINE, QUÉBEC

red

"When it is evening, ye say, It will be fair weather: for the sky is red."

Bible, St. Matthew 16:2

15

From horse-drawn transport in the
1840s, the TTC took over in 1921 and
has come a long way with a network of
transit lines and three subway routes.

TORONTO, ONTARIO

En 1840, les voitures étaient tirées par
des chevaux. En 1921, la TTC a pris la
relève et a réalisé de grands projets en
créant un vaste réseau de transport
public et trois lignes de métro.

TORONTO, ONTARIO

Golden light warms the chairs awaiting tired
fishermen at the West Coast Fishing Club.

LANGARA ISLAND, HAIDA GWAII, BRITISH COLUMBIA

Un soleil d'or réchauffe les chaises qui attendent
les pêcheurs fatigués du West Coast Fishing Club.

ÎLE LANGARA, HAÏDA GWAII, COLOMBIE-BRITANNIQUE

PREVIOUS PAGES | PAGES PRÉCÉDENTES

Undaunted since 1926, this covered bridge spans the Rivière du
Bras du Nord-Ouest. Now a historical monument, the bridge is
only for viewing during the summer months.

SAINT-PLACIDE-DE-CHARLEVOIX, QUÉBEC

Inébranlable depuis 1926, ce pont couvert enjambe la rivière du
Bras du Nord-Ouest. Aujourd'hui classé monument historique,
le pont ne peut être visité que durant les mois d'été.

SAINT-PLACIDE-DE-CHARLEVOIX, QUÉBEC

Accessible only by canoeing, hiking, or a unique railway ride,
the Agawa Canyon is a favoured destination and a subject
for many artists including the famed Group of Seven.

BLACK BEAVER FALLS, AGAWA CANYON PARK, ONTARIO

Le canyon Agawa n'est accessible qu'en canot, en randonnée
ou depuis le confort d'un train. Cette merveilleuse
destination a inspiré de nombreux artistes, y compris ceux
du Groupe des Sept.

CHUTES BLACK BEAVER, PARC DU CANYON AGAWA, ONTARIO

Protecting the southwest shore of Simcoe Island (named for John Graves Simcoe), Nine Mile Point Lighthouse has a commanding view of the St. Lawrence River. Built in 1833, its light shines from the almost 14 m height that has been automated since 1978.

SIMCOE ISLAND, ONTARIO

Construit en 1833, le phare de Nine Mile Point signale la pointe sud-ouest de l'île Simcoe (à la mémoire de John Graves Simcoe) et il domine le fleuve Saint-Laurent. Sa lumière brille à près de 14 mètres du sol et elle est automatisée depuis 1978.

ÎLE SIMCOE, ONTARIO

"Designers want me to dress like Spring, in billowing things. I don't feel like Spring. I feel like a warm red Autumn."

Marilyn Monroe

Rien n'anime un paysage de façon aussi spectaculaire qu'une touche inattendue de rouge. Par exemple, la fenêtre de mon bureau donne sur un parc du centre-ville très prisé des oiseaux des alentours. À tel point qu'au lever du jour, tout au long de l'été, leurs gazouillis réunis couvrent le bruit de la circulation en bas de la côte. Parmi la foule d'espèces communes (moineau, merle, rouge-gorge), se distingue parfois un individu de souche patricienne, plus exotique et manifestement racé (un épervier de Cooper, par exemple, ou un cardinal à poitrine rose). Mais rien n'égale le plaisir que procure l'apparition soudaine d'un cardinal mâle.

De la même façon, des taches rouges émaillent les paysages canadiens et attirent le regard. Elles peuvent être voulues ou accidentelles, urbaines ou rurales, naturelles ou fabriquées. Qu'il s'agisse d'un phare ou d'un ancien totem haïda, d'un bateau à quai, d'une lucarne qui perce une épaisse couche de neige ou encore de la tenue d'apparat d'un agent de la Gendarmerie royale du Canada, le rouge attire l'œil plus qu'aucune autre couleur.

red

Nothing enlivens the landscape quite so dramatically as an unexpected splash of red. My office window for example overlooks a downtown park that is highly popular with local birds. So much so that all summer long, at sunrise, their collective chirping drowns out the rumble of traffic that runs past at the foot of the hill. Amidst the throngs of commoners (sparrows, blackbirds, robins) one occasionally catches a glimpse of a patrician of genuinely exotic breeding (Cooper's hawks, say, or a jaunty rose-breasted grosbeak). But all the same, nothing ever quickens the pulse so reliably as the sighting of a male cardinal.

Similarly eye-catching dollops of red enhance the Canadian scenery by design or by accident, whether it be urban or rural, natural or constructed. From lighthouses to ancient Haida totems, ships in the harbour to a dormer window protruding through a white blanket of snow, or a Mountie in his quintessentially Canadian red serge, red attracts the eye like no other colour.

Backlit by a yard light, the traditional architecture of this island house stands out in spooky silhouette.
HAVRE-AUX-MAISONS, ÎLES DE LA MADELEINE, QUÉBEC

La lumière installée dans la cour donne une allure un peu lugubre à cette maison traditionnelle des Îles.
HAVE-AUX-MAISONS, ÎLES DE LA MADELEINE, QUÉBEC

standing sentinel since 1843, the Cape Bonavista Lighthouse is now a museum, its job being done by the steel tower next to it. You can still climb the stone tower to see the light once powered by seal oil or walk the cliff tops for a great view of icebergs, whales and puffins.

BONAVISTA, NEWFOUNDLAND AND LABRADOR

Fidèle au poste depuis 1843, le phare du cap Bonavista est aujourd'hui un musée. La tour d'acier voisine a pris la relève. En montant en haut du vieux phare, on peut voir la lampe qui jadis éclairait à l'huile de phoque. Du sommet de la falaise, on peut observer des icebergs, des baleines et des macareux.

BONAVISTA, TERRE-NEUVE-ET-LABRADOR

« Les créateurs veulent m'habiller de vêtements printaniers légers et flottants. Je ne suis pas d'humeur printanière ; je rêve plutôt aux tons rouges et chauds d'automne. »

Marilyn Monroe

Bright dormers peek out and add colour
to the blanket of snow covering the inn.

NEAR LAC-SUPÉRIEUR, QUÉBEC

Des lucarnes ajoutent des taches de
couleur vive sur la couche de neige qui
coiffe l'auberge.

PRÈS DE LAC-SUPÉRIEUR, QUÉBEC

Whimsical flowers climb the mailbox to
challenge the height of the snow.

LES ÉBOULEMENTS, CHARLEVOIX, QUÉBEC

Des fleurs espiègles s'accrochent à la boîte
aux lettres et semblent défier la neige.

LES ÉBOULEMENTS, CHARLEVOIX, QUÉBEC

A curl escapes, unheeded by a winsome Inuit girl.

PANGNIRTUNG, NUNAVUT

Une ravissante fillette inuit coiffée d'un bonnet d'où s'échappent quelques boucles.

PANGNIRTUNG, NUNAVUT

A perfect view to inspect the guard, which harkens back to 1884. Company A re-enacts the Changing of the Guard in the Historic Garrison District.

FREDERICTON, NEW BRUNSWICK

L'endroit idéal pour une revue de la garde qui a été mise en place en 1884. Relève de la compagnie A dans le Quartier historique de Garnison.

FREDERICTON, NOUVEAU-BRUNSWICK

Catching the last rays of sun, ducks skim the water's surface

Large freighters threading their way around the Thousand Islands are a common sight.
Safe navigation is ensured by the 20-30 sailors who make these vessels their second home.

NEAR KINGSTON, ONTARIO

Près des Mille Îles, les grands cargos sont nombreux. Le passage sécuritaire est assuré
par 20 à 30 membres d'équipage qui se sont créé un second foyer à bord du navire.

Restored to its original 1920s glory, the history
of the Hudson's Bay Old Blubber Station will
live on. A couple of replica whaling boats also
speak to preserving the past.

PANGNIRTUNG, NUNAVUT

La station Old Blubber de la Hudson's Bay
connaît une nouvelle vie grâce à des travaux
qui lui ont redonné son aspect d'antan
(années 1920). Deux copies de baleiniers
témoignent également du passé.

PANGHIRTTUNG, NUNAVUT

The Akshayuk Pass, shaped by a glacier that cuts through the mountains between Cumberland Sound and Davis Strait, was an established Inuit passageway. Today, hikers that favour the entire trail require eight days for the route, one way, not accounting for weather.

BAFFIN ISLAND, AUYUITTUQ NATIONAL PARK, NUNAVUT

Le col d'Akshayuk, façonné par un glacier qui traverse les montagnes de la baie Cumberland et le détroit de Davis, était un passage qu'empruntaient les Inuits. Aujourd'hui, même par temps favorable, les randonneurs doivent compter huit jours pour compléter un aller simple.

ÎLE DE BAFFIN, PARC NATIONAL AUYUITTUQ, NUNAVUT

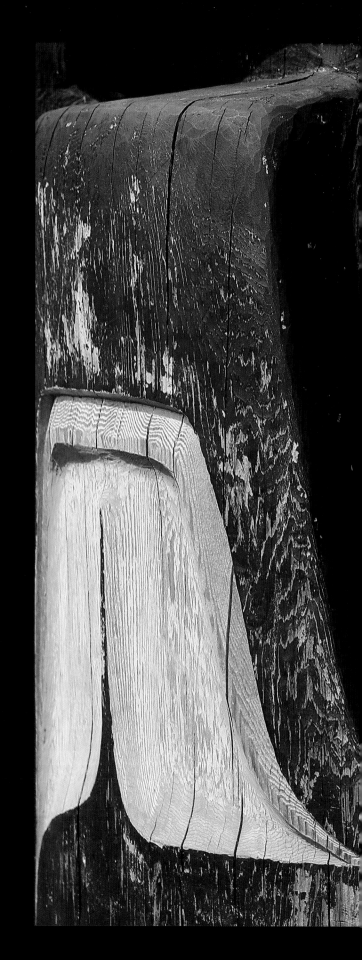

The Haida Heritage Centre at K̲aay Llnagaay
continues the teachings of the elders to sustain the
culture of the Haida, with programs to attract
visitors from around the world. Six poles were
carved and put up in 2001 to represent the six
villages of Skidegate.

SKIDEGATE, HAIDA GWAII, BRITISH COLUMBIA

Situé à K̲aay Llnagaay, le Haida Heritage Centre
perpétue les enseignements des aînés et préserve
la culture haida grâce à des programmes qui
attirent des visiteurs du monde entier. Six mâts
totémiques ont été sculptés et dressés en 2001. Ils
représentent les six villages de Skidegate.

SKIDEGATE, HAÏDA GWAII, COLOMBIE-BRITANNIQUE

Red sandstone is worn in remarkable patterns at l'Étang-du-Nord. Rich in iron oxide that shows in the red colour, caves are worn into the cliffs and popular for kayaking.

ÎLES DE LA MADELEINE, QUÉBEC

À l'Étang-du-Nord, la nature a sculpté des œuvres remarquables dans le grès auquel l'oxide de fer a donné une teinte rouge. Les grottes creusées dans la falaise sont très prisées des kayakistes.

ÎLES DE LA MADELEINE, QUÉBEC

FOLLOWING PAGES | PAGES SUIVANTES

Connecting the Great Lakes and the Atlantic ocean, the St. Lawrence River is one of the longest in the world. This "red sky at night" promises good weather for tomorrow, according to weather lore.

NEAR RIVIÈRE-DU-LOUP, QUÉBEC

Reliant les Grands Lacs et l'océan Atlantique, le Saint-Laurent est l'un des plus longs fleuves du monde. Selon un dicton, ce ciel rouge en fin de journée annonce du beau temps pour le lendemain.

PRÈS DE RIVIÈRE-DU-LOUP, QUÉBEC

The Robson River generates at the base of the Robson Glacier, as part of the Berg Lake Trail. Three lakes and four waterfalls share this river's path.

MOUNT ROBSON PROVINCIAL PARK, BRITISH COLUMBIA

La rivière Robson prend naissance au pied du glacier Robson et elle fait partie du Berg Lake Trail. On trouve trois lacs et quatre chutes sur le parcours de cette rivière.

PARC PROVINCIAL DU MONT ROBSON, COLOMBIE-BRITANNIQUE

blanc

« Le poème n'est point fait de ces lettres que je plante comme des clous, mais du blanc qui reste sur le papier. »

Paul Claudel, extrait de Cinq grandes odes

white

"The poem is not made from these letters that I drive in like nails, but of the white which remains on the paper."

Paul Claudel, footnote to Cinq grandes odes

Canadian Geese are suspended in flight on
Hamilton Street. Dedicated to
George C. Solomon, "a man of vision,
industry and true western spirit", the
sculpture was created by Robert Dow Reid
and appropriately named "Western Spirit".

REGINA, SASKATCHEWAN

Des bernaches suspendent leur vol
au-dessus de la rue Hamilton. La sculpture
de Robert Dow Reid honore la mémoire de
George C. Solomon, « un homme de vision,
un travailleur qui incarnait le véritable
esprit de l'ouest ». L'œuvre s'intitule
« Western Spirit ».

REGINA, SASKATCHEWAN

White, wispy clouds barely reflect the lowering sun's rays on Île de la Pointe-aux-Loups, the smallest inhabited island of the archipelago, sheltering about fifty houses.

ÎLES DE LA MADELEINE, QUÉBEC

De minces nuages blancs reflètent à peine les rayons du soleil couchant, à la Pointe-aux-Loups, la plus petite île habitée de l'archipel qui compte environ 50 maisons.

ÎLES DE LA MADELEINE, QUÉBEC

Northern Gannet are true waterbirds, spending most of their life at sea. Gannets plunge dive from 40 m in the sky with an impressive snatch for fish and return to cliffside homes.

BONAVENTURE ISLAND, GASPÉ, QUÉBEC

Les fous de Bassan sont de vrais oiseaux aquatiques qui passent l'essentiel de leur vie en mer. Ils plongent d'une hauteur de 40 mètres et attrapent le poisson avec une habileté étonnante. Ils regagnent ensuite leur nid perché sur la falaise.

ÎLE BONAVENTURE, GASPÉ, QUÉBEC

blanc

Pour tous les Canadiens, le blanc évoque avant tout la neige. Il convient sans doute qu'un pays célèbre pour ses grands espaces inhabités soit recouvert, durant une bonne partie de l'année, d'une espèce de toile vierge. Dans les images qui suivent, la toile accueillera l'esquisse éphémère de premiers pas dans une nouvelle neige. Ailleurs, ce seront des stries et des sillons dessinés par des skis, ou des traces creusées par des traîneaux à chiens. Le blanc est aussi la couleur d'une nature immaculée et intacte, celle de sommets enneigés ou de champs qui profitent d'un repos hivernal. Et le blanc peut évoquer les forces de la nature. Par exemple, celles qui se manifestent dans le brouillard glacé produit par la violence avec laquelle l'eau tombe aux pieds des chutes Niagara, ou dans le rugissement menaçant de l'ourse polaire protégeant ses petits. Mais le blanc, fort heureusement, n'évoque pas que la froidure ; il rappelle aussi les nuages légers dans le ciel par une journée chaude d'été.

white

For Canadians everywhere, white means one thing above all else: snow. It is fitting that a country, defined as much as anything by its empty spaces, should for so much of the year be covered by what looks like a blank canvas. In some of the images that follow, that canvas wears an ephemeral sketch of first footprints after a fresh snowfall. In others, it is unalterably streaked and grooved with ski tracks, or torn up by sleigh dogs. White can be the colour of nature pristine and undisturbed, from snowy mountain peaks to empty fields enjoying a winter rest. Or it can represent the force of nature, in an icy blast of spray from the violent cascade of water at Niagara Falls, or the threatening roar of a polar bear protecting her cubs. And thankfully white is not always just about the cold: it can be a wisp of cloud in the hot summer sky.

The Gulf of St. Lawrence is the cradle for seals that "pup" on ice floes from February end through March. The baby seals are soon left to survive the cold waters on their own.

NEAR ÎLES DE LA MADELEINE, QUÉBEC

Les banquises du golfe du Saint-Laurent accueillent les phoques qui mettent bas durant les mois de février et mars. Les petits blanchons devront apprendre à survivre dans des eaux glacées.

PRÈS DES ÎLES DE LA MADELEINE, QUÉBEC

Choosing one of 67 trails at Mont-Sainte-Anne ski resort, guests ski or snowboard down to beat gravity. The summit offers an incredible view of Québec City.

BEAUPRÉ, QUÉBEC

Skieurs et amateurs de planche à neige ont le choix de 67 pistes pour dévaler les flancs du Mont-Saint-Anne. Le sommet offre une vue imprenable sur la ville de Québec.

BEAUPRÉ, QUÉBEC

Bred over centuries to excel while
enduring freezing temperatures,
sled dogs have a face to fall in love
with. Once a necessity in the Arctic,
dependency on dog teams has
decreased, however their popularity
as a winter sport has increased.

LAC-BEAUPORT, QUÉBEC

Élevés depuis des siècles pour bien
travailler dans des froids extrêmes,
les chiens de traîneau sont vraiment
craquants. Longtemps, ils ont joué
un rôle important dans l'arctique.
Si l'aspect pratique des attelages
de chiens a diminué, leur popularité
comme sport d'hiver s'est
sensiblement accrue.

LAC-BEAUPORT, QUÉBEC

An abandoned Hudson's Bay Post ages in contrast to the ancient dominance
of Mount Overlord, an extinct stratovolcano, on Deception Plateau.

BAFFIN ISLAND, AUYUITTUQ NATIONAL PARK, NUNAVUT

Un ancien poste de la Hudson's Bay continue de vieillir à l'ombre du mont
Overlord, un volcan composite éteint qui domine le plateau Deception.

ÎLE DE BAFFIN, PARC NATIONAL AUYUITTUQ, NUNAVUT

FOLLOWING PAGES | PAGES SUIVANTES

Winter in Charlevoix brings its quiet charm
with breathtaking vistas over coastal cliffs,
craters shaped by meteors and glacial valleys.

SAINT-IRÉNÉE, QUÉBEC

L'hiver dans Charlevoix est synonyme de
quiétude et de paysages magnifiques avec des
falaises côtières, des cratères creusés par des
météorites et des vallées glaciaires.

SAINT-IRÉNÉE, QUÉBEC

Mont Tremblant is the highest peak of the Laurentian Mountains,
one of the oldest mountain ranges in the world. It affords diverse
activities for tourists and thrills for skiers and snowboarders.

MONT TREMBLANT, QUÉBEC

Mont-Tremblant est le plus haut sommet des Laurentides, une
des plus anciennes chaînes de montagnes au monde. Il offre une
variété d'activités aux touristes et procure des sensations fortes
aux skieurs et aux adeptes de la planche à neige.

MONT-TREMBLANT, QUÉBEC

Distinct domes and a detached belfry reach from a cruciform base to the heavens. St. John the Baptist Ukrainian Greek Catholic Church is a testament to the faith of Ukrainian immigrants who began to settle this area in 1900.

SMUTS, SASKATCHEWAN

Sur une base en forme de croix, les dômes typiques et le clocher séparé de l'église grecque catholique ukrainienne Saint-Jean-Baptiste montent vers le ciel. L'église témoigne de la foi religieuse des immigrants ukrainiens qui ont commencé à peupler cette région en 1900.

SMUTS, SASKATCHEWAN

Natural sculptures dot a hard field of snow near the Davis Strait.
Most of the freshwater on Earth is trapped in snow and ice.

QIKIQTARJUAQ, NUNAVUT

Sculptures naturelles dans un champ de neige durcie près du
détroit de Davis. L'essentielle de la réserve d'eau douce de la
planète est stockée dans les glaces et la neige.

QIKIQTARJUAQ, NUNAVUT

"The snow goose need not bathe to make itself white. Neither need you do anything but be yourself."

Lao Tzu

Cape Enrage has an extraordinary perspective of the Bay of Fundy and the natural phenomenon of rising tides that occur twice each day. Low tide reveals a fossil beach to explore. The Cape Enrage Light Station is one of the oldest in the province, and is still in use.

WATERSIDE, NEW BRUNSWICK

Le cap Enragé offre une vue extraordinaire sur la baie de Fundy et le phénomène naturel des fortes marées qui se manifestent deux fois par jour. À marée basse, les rives révèlent des fossiles. Le phare du cap Enragé est toujours en activité et il est l'un des plus anciens de la province.

WATERSIDE, NOUVEAU-BRUNSWICK

PREVIOUS PAGES | PAGES PRÉCÉDENTES

Overlooking the ingress of St. John's harbour, the Cape Spear Lighthouse stands as the oldest surviving lighthouse in the province and the most easterly point on the continent. The site also shelters the remnants of Fort Cape Spear, a gun battery and defence during both World Wars.

CAPE SPEAR, NEWFOUNDLAND AND LABRADOR

À l'entrée du port de St. John's, le phare du Cape Spear est le plus ancien phare toujours en service dans la province. Il est situé à l'extrémité est de l'Amérique du Nord. Sur ce site, on trouve des vestiges du Fort Cape Spear. Sa batterie de canons aura contribué à la défense du continent durant les deux guerres mondiales.

CAPE SPEAR, TERRE-NEUVE-ET-LABRADOR

Isle-aux-Coudres rests under a thick mantle of snow. Discovered by Jacques Cartier in 1535, this municipality of Charlevoix enjoys a rich maritime history.

ISLE-AUX-COUDRES, QUÉBEC

L'Isle-aux-Coudres sous un épais manteau de neige. Découverte en 1535 par Jacques Cartier, cette municipalité de Charlevoix possède un riche passé maritime.

ISLE-AUX-COUDRES, QUÉBEC

The sheer rugged beauty of the St. Elias Range shows off Mount Logan
as the highest point in Canada. Logan's base has the largest
circumference of any mountain on earth and towers about 3,000 m up
from surrounding glaciers.

KLUANE NATIONAL PARK AND RESERVE, YUKON

La beauté austère de la chaîne Saint-Élie met en valeur le mont Logan, le
plus haut sommet du Canada. Il s'élève à 3 000 mètres au-dessus des
glaciers qui l'entourent. La base du mont Logan forme une circonférence
plus grande que celle de toute autre montagne au monde.

PARC NATIONAL ET RÉSERVE DE PARC NATIONAL DU CANADA KLUANE, YUKON

Native to the Arctic Circle and the Arctic Ocean, Canada is home to about 60% of the world's polar bear population. Their raw power and intelligence is the stuff legends are made of. Norse poets chronicle polar bears as having the strength of 12 men while the Inuit name him "Nanuk", and deem him worthy of great respect.

DAVIS STRAIT, QIKIQTARJUAQ, NUNAVUT

Les ours polaires sont indigènes du cercle polaire et de l'océan Arctique et environ 60 % de la population vit au Canada. Leur force brute et leur intelligence sont légendaires. Selon des poètes nordiques, un seul ours polaire aurait la force de 12 hommes. Les Inuits l'appellent « Nanuk » et lui témoignent un grand respect.

DÉTROIT DE DAVIS, QIKIQTARJUAQ, NUNAVUT

An iceberg looms in the rugged wilds close to Qikiqtarjuaq, also known as the iceberg capital of the world.

QIKIQTARJUAQ, NUNAVUT

Un iceberg domine dans un décor sauvage non loin de Qikiqtarjuaq, la capitale mondiale des icebergs.

QIKIQTARJUAQ, NUNAVUT

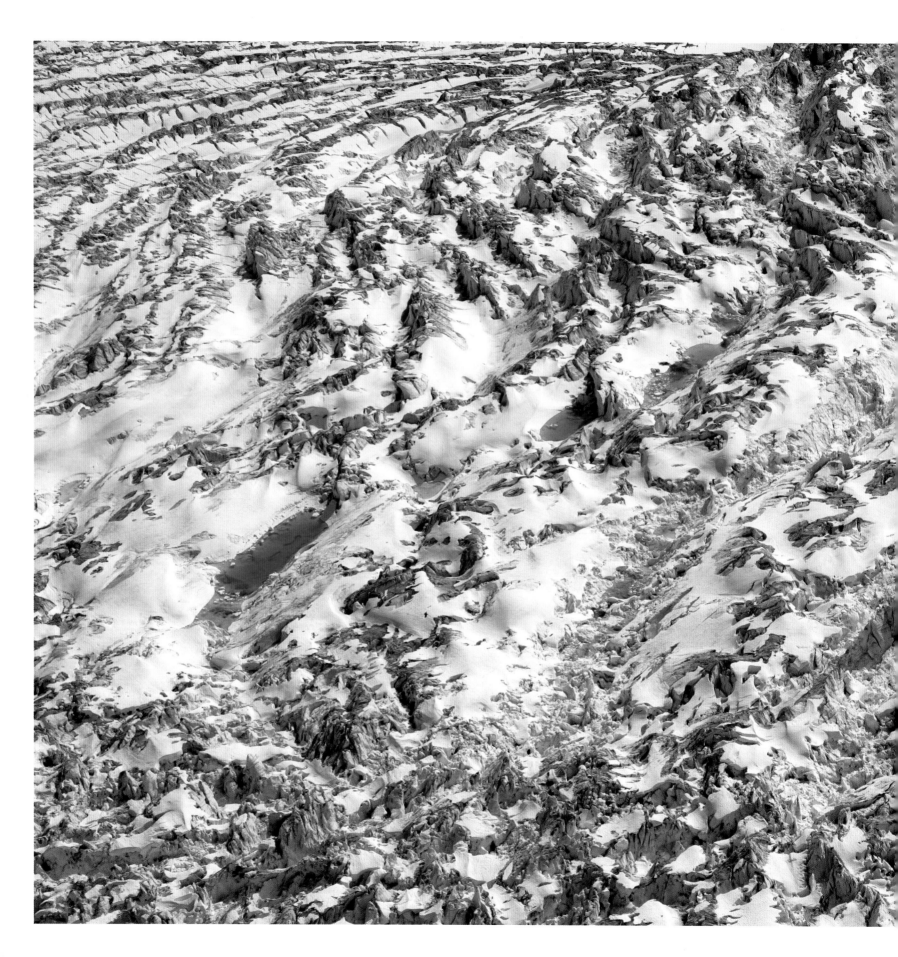

« L'oie des neiges n'a pas besoin de se baigner pour être blanche. Tout comme nous n'avons pas besoin de faire quoi que ce soit pour être soi- même. »

Lao-Tseu

A dozen or so peaks rise from the glaciated plateau of Mount Logan massif which resides in the Kluane National Park, a UNESCO World Heritage Site.

KLUANE NATIONAL PARK AND RESERVE, YUKON

Le massif du mont Logan compte une douzaine de sommets qui semblent émerger d'un bloc colossal de roc et de glace. Il est recouvert d'un plateau glaciaire et fait partie du parc national Kluane, inscrit au patrimoine mondial de l'UNESCO.

PARC NATIONAL ET RÉSERVE DE PARC NATIONAL DU CANADA KLUANE, YUKON

A moss-covered relic oversees the peaceful Masset Cemetery.

OLD MASSET, HAIDA GWAII, BRITISH COLUMBIA

Un vestige recouvert de mousse veille sur un paisible cimetière de Masset.

OLD MASSET, HAÏDA GWAII, COLOMBIE-BRITANNIQUE

Pacific Salmon swim in Pallant River, migrating from saltwater ocean to freshwater river to complete their lifecycle.

NEAR MORESBY CAMP, BRITISH COLUMBIA

Des saumons du Pacifique remontent la rivière Pallant. Ce passage de l'eau salée à l'eau douce complétera leur cycle de vie.

PRÈS DE MORESBY CAMP, COLOMBIE BRITANNIQUE

vert

« Cher ami, toute théorie est grise, mais vert et florissant est l'arbre de la vie. »

Goethe

green

"All theory, dear friend, is grey,
but the golden tree of actual life
springs ever green."

Goethe

vert

Rendez-vous dans le nord de l'archipel Haïda Gwaii, faites quelques pas sur le sol spongieux, à l'ombre de la voûte forestière, et regardez bien tout autour. Le spectacle est déroutant. Il n'y a pas plus vert sur terre. Dans tout le paysage, il n'y a que du vert. Mais pas le vert chaud de l'été et des terres fertiles dont on se surprend à rêver pendant que l'on subit le reste de l'année. Ni le vert de l'herbe fraîchement coupée, ou celui qui prédomine lors de balades au parc, ou lors d'une agréable ronde de golf. Ici, c'est tout à fait différent. D'abord, le froid est tel qu'il en est inquiétant. L'air est brumeux, le silence est absolu et tout est humide telle une tourbière. Il n'y pas d'herbe, que de la mousse. Le soleil se tient bien à l'écart. Pourtant, s'il n'est pas accueillant, ce lieu possède une beauté que l'on ne peut pas imaginer sans l'avoir vu. D'autres coups d'œil présenteront des verts plus conventionnels et plus salubres : forêts, piémonts, vastes plaines, terres agricoles et paysages marins étalés dans la chaleur d'un début d'été. En contraste, il y aura aussi cette merveille étrange qui réside dans le nord : l'aurore boréale.

green

Take a first few squelchy steps under the canopy of the rain forest of the northern Haida Gwaii and have a good look around. This is a puzzler. There may be no greener place on earth. Green is in fact the only colour in evidence in the landscape. But this is not the green of summery warmth and agrarian fertility that you long for while putting up with the rest of the year. This is not the green of freshly mown grass or a walk in the park or even a nice round of golf. This is completely different. For starters it is cold — alarmingly so. It is misty, eerily quiet, and wet as a bog. There is no grass in sight — only moss. And the sunshine steers well clear of the place. But inhospitable as it may be, it is beautiful in a way that cannot be imagined without the experience. Other visions feature green in more conventional and salubrious locales: forests, foothills, rolling plains, farmland and seascapes, all in the warm prime of the summer season. And for a final contrast, the unique and eerie beauty of our north: the aurora borealis.

PREVIOUS PAGES | PAGES PRÉCÉDENTES

Temperate rainforest are part of the national treasure of the West Coast Trail in the Pacific Rim National Park Reserve that faces miles of shoreline on the Pacific Ocean.

BRITISH COLUMBIA

Parmi les trésors du Sentier de la Côte-Ouest situé dans la réserve de parc national Pacific Rim figure la forêt pluviale tempérée. La réserve longe sur des kilomètres le littoral de l'océan Pacifique.

COLOMBIE-BRITANNIQUE

Memorial totem poles remain in placid dignity at their original location on the Namgis Burial Grounds. Visitors are not permitted on the grounds, but the site is easy to view from the road.

ALERT BAY, BRITISH COLUMBIA

Des mâts totémiques commémoratifs s'élèvent avec une sereine dignité dans leur lieu d'origine du Namgis Burial Grounds. Sans avoir accès au terrain, les visiteurs peuvent néanmoins admirer le site de la route.

ALERT BAY, COLOMBIE-BRITANNIQUE

Shiny green with a harvest yellow stroke and bright Western Red Lily (the provincial floral emblem), the Saskatchewan Grain Car Corporation hopper cars hasten to ship grain products for western Canadian producers free of charge to specific ports under the Statutory Movements agreement.

NEAR ABBEY, SASKATCHEWAN

D'un vert brillant, avec une touche jaune et un lys des prairies (fleur emblématique de la province), des wagons-trémies de la Saskatchewan Grain Corporation transportent les céréales des agriculteurs de l'ouest canadien. Ce transport vers des ports spécifiques est gratuit en vertu de l'accord appelé Statutory Grain Movements.

PRÈS DE ABBEY, SASKATCHEWAN

Surveying a logging road on Graham Island, the largest of the 1,884 island group that makes up Haida Gwaii.

HAIDA GWAII, BRITISH COLUMBIA

Arpentage d'un chemin pour le transport du bois sur l'île Graham, la plus grande des 1 884 îles qui constituent l'archipel Haïda Gwaii.

HAÏDA GWAII, COLOMBIE-BRITANNIQUE

More than just a mountain road, the Icefields Parkway between Banff and Jasper covers 232 km that National Geographic Traveler called one of their 20 "drives of a lifetime". Wildlife is sure to be spotted, surrounded by incredible panoramas.

BANFF NATIONAL PARK, ALBERTA

Icefields Parkway n'est pas une simple route de montagne. Elle couvre les 232 kilomètres qui relient Banff et Jasper. Selon le magazine National Geographic Traveler, cette route figure parmi ses 20 parcours de rêve. La faune foisonne dans ce décor de rêve.

PARC NATIONAL BANFF, ALBERTA

The Cabot Trail has become its own destination with numerous hikes of varying difficulty
presenting dramatic views. The Skyline Trail concludes with a lookout over the rugged coast
of the Gulf of St. Lawrence where whales and seals might be seen.

CAPE BRETON HIGHLANDS NATIONAL PARK, NOVA SCOTIA

La Piste Cabot est un haut lieu de la randonnée. Les sentiers de difficultés diverses y sont nombreux
et les vues sont spectaculaires. Le Skyline Trail se termine par un belvédère surplombant la côte
sauvage du golfe du Saint-Laurent. On peut parfois y apercevoir des baleines et des phoques.

PARC NATIONAL DES HAUTES-TERRES-DU-CAP-BRETON, NOUVELLE-ÉCOSSE

"If your knees aren't green
by the end of the day,
you ought to seriously
re-examine your life."

Bill Watterson

Winding 730 km from Dawson City, Yukon, to
Inuvik in the Northwest Territories, the
Dempster Highway sits atop a berm to protect
the permafrost. An incredible driving adventure,
this was Canada's first all-weather road to cross
the Arctic Circle.

YUKON

La route Dempster repose sur une berme qui
protège le pergélisol. Ses 730 kilomètres relient
Dawson City, au Yukon, et Inuvik, dans les
Territoires du Nord-Ouest, et procurent une
aventure routière extraordinaire. Elle est la seule
route canadienne praticable en toutes saisons à
traverser le cercle polaire arctique.

YUKON

Expansive scenery and fresh air
awaken the senses at the crest of
70 Mile Butte, about 100 m above
the Frenchman River Valley floor
and a notable feature of the area.

GRASSLANDS NATIONAL PARK,
WEST BLOCK, SASKATCHEWAN

Un décor extraordinaire et l'air
frais éveillent les sens au sommet
de la butte 70 Mille, à environ 100
mètres au-dessus de la vallée de la
rivière Frenchman, un point
d'intérêt important de la région.

PARC NATIONAL DES PRAIRIES,
BLOC OUEST, SASKATCHEWAN

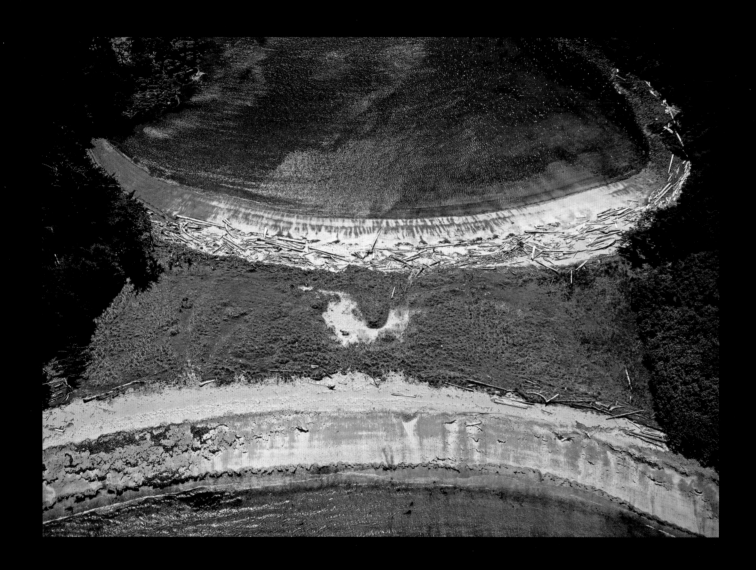

Taylor Bay and Pilot Bay join forces to create an isthmus
and vital ecosystem for shorebirds and sand creatures.

GABRIOLA SANDS PROVINCIAL PARK, GABRIOLA ISLAND,
BRITISH COLUMBIA

Taylor Bay et Pilot Bay unissent leurs efforts pour créer
un isthme et un écosystème essentiel aux oiseaux de
rivage et aux habitants des sables.

PARC PROVINCIAL GABRIELA SANDS, ÎLE GABRIOLA,
COLOMBIE-BRITANNIQUE

FOLLOWING PAGES | PAGES SUIVANTES

An ideal place to explore, the village of Les Éboulements showcases
forest and farmland. It was also in this municipality where an ancient
meteorite that struck Charlevoix found its point of impact.

CHARLEVOIX, QUÉBEC

Un lieu d'exploration idéal, le village Les Éboulements regorge de terres
agricoles et de forêts. C'est également dans cette municipalité que se
trouve le point d'impact de la météorite qui jadis frappa Charlevoix.

CHARLEVOIX, QUÉBEC

A tractor carves out a pattern in his field, just a couple of hours north of the geographical centre of North America.

NEAR BRANDON, MANITOBA

Un tracteur réalise un dessin dans un champ situé à environ deux heures au nord du centre géographique absolu de l'Amérique de Nord.

Wandering with the Mackenzie Mountains, Tetcela River is a fabulous stream to fish early in the morning.

FORT SIMPSON, NORTHWEST TERRITORIES

La rivière Tetcela, qui serpente au creux des monts Mackenzie, est un lieu fabuleux pour une partie de pêche matinale.

« Quiconque n'a pas les genoux verts en fin de journée a intérêt à remettre sérieusement son existence en question. »

Bill Watterson

An ancient fjord, Western Brook Pond is a landlocked fjord hewn by glaciers. Boat tours allow visitors a riveting mix of waterfalls and wildlife. The park is a UNESCO World Heritage Site.

GROS MORNE NATIONAL PARK, NEWFOUNDLAND AND LABRADOR

L'étang Western Brook est un ancien fjord creusé par les glaciers. Des visites guidées en bateau permettent de découvrir un mélange fascinant de chutes d'eau et de faune sauvage. Le parc est classé site du patrimoine mondial de l'UNESCO.

PARC NATIONAL DU GROS MORNE, TERRE-NEUVE-ET-LABRADOR

A quiet country road is content to amble
through Happy Valley, very close to the U.S.
border.

NEAR CORONACH, SASKATCHEWAN

Une route de campagne sillonne paisiblement
Happy Valley, à proximité de la frontière
Américaine.

The St. Elias Mountains embrace the most impressive
peaks in the nation including the highest, Mount Logan.

KLUANE NATIONAL PARK AND RESERVE, YUKON

La chaîne Saint-Élie comprend les plus impressionnants
sommets du Canada, y compris le plus élevé de tous,
le mont Logan.

This karst landscape with hoodoos and fossils is home to an abundance of wildlife, including Dall's sheep, and canyons and caves worth exploring.

RAM PLATEAU, NAHANNI NATIONAL PARK RESERVE,
NORTHWEST TERRITORIES

Avec ses cheminées de fée, ses fossiles et des canyons et cavernes à explorer, ce paysage karstique est habité par une faune nombreuse, dont le mouflon de Dall.

PLATEAU RAM, RÉSERVE DE PARC NATIONAL DU CANADA
NAHANNI, TERRITOIRES DU NORD-OUEST

"For in the true nature
of things, if we rightly
consider, every green tree
is far more glorious than
if it were made of
gold and silver."

Martin Luther

« Tout bien considéré,
dans la nature
exacte des choses,
chaque arbre vert
est bien plus glorieux
que s'il était fait
d'or et argent. »

Martin Luther

Magical lights play across the starry sky
forming an enduring memory. The Aurora
Borealis is unique to the northern
magnetic pole. In the southern hemisphere
it is called Aurora Australis. The radiance is
best seen on cold, clear nights.

FORT SIMPSON, NORTHWEST TERRITORIES

Cette lumière magique dans un ciel étoilé
laisse un souvenir impérissable. L'aurore
boréale est exclusive au pôle nord
magnétique. Dans l'hémisphère sud, on
l'appelle aurore australe. Les nuits froides
et claires offrent les meilleures conditions
d'observation.

FORT SIMPSON, TERRITOIRES DU NORD-OUEST

marron

« Les moineaux se préparent à affronter l'hiver, chacun vêtu d'un simple manteau marron et gazouillant joyeusement. »

Charles Kuralt

brown

"The sparrows are preparing for winter, each one dressed in a plain brown coat and singing a cheerful song."

EVIOUS PAGES | PAGES PRÉCÉDENTES

orebirds make their mark as they look for
nner on the mud flats.

AR MONCTON, NEW BRUNSWICK

quête de leur prochain repas, des oiseaux
rivage laissent des traces dans les vasières.

ÈS DE MONCTON, NOUVEAU-BRUNSWICK

SET | EN MÉDAILLON

hiseled over the ages by the Hay River, Louise
lls is a must-see along the Waterfall Route.

WIN FALLS GORGE TERRITORIAL PARK,
ORTHWEST TERRITORIES

reusées au fil du temps par la rivière Hay,
s chutes Louise sont un arrêt incontournable
long de Waterfall Route.

ARC TERRITORIAL TWIN FALLS GORGE,
ERRITOIRES DU NORD-OUEST

ea lion colonies can frequently be seen on the
acific Coast. Their predictable behavior is
eneficial to tourists hoping to glimpse them
asking in the sun.

WEST COAST TRAIL, PACIFIC RIM NATIONAL PARK,
RITISH COLUMBIA

De nombreuses colonies de lions de mer
réquentent la la côte ouest. Leurs habitudes
onviennent bien à la curiosité des touristes qui
es observent pendant qu'ils se dorent au soleil.

SENTIER DU LITTORAL, RÉSERVE DE PARC NATIONAL
PACIFIC RIM, COLOMBIE-BRITANNIQUE

Hazardous shores make picturesque waves on Juan Perez Sound, named for one of the first European explorers to the region.

HAIDA GWAII,
BRITISH COLUMBIA

Les dangereuses côtes de Juan Pérez Sound produisent des vagues pittoresques. Le nom évoque l'un des premiers explorateurs européens de la région.

HAÏDA GWAII,
COLOMBIE-BRITANNIQUE

Riding an advancing
tidal wave, referred to
as the Tidal Bore,
promises over-the-top
fun and bragging rights.

SHUBENACADIE RIVER,
NOVA SCOTIA

Le surfing sur un
mascaret qui déferle
procure un plaisir
unique et donne le droit
légitime de s'en vanter.

RIVIÈRE SHUBÉNACADIE,
NOUVELLE-ÉCOSSE

"I am a man" he told her, "and men do not
consume pink beverages. Get thee gone
woman, and bring me something brown."

Cassandra Clare, City of Glass

marron

Marron est la couleur de la fertilité. La couleur de la terre, depuis le champ cultivé jusqu'au tapis forestier, depuis le rivage humide jusqu'à la profondeur du lit de la rivière. C'est aussi la couleur d'un grand nombre d'animaux présents sur cette terre : le bison qui jadis parcourait nos plaines, l'ours brun qui rôde au creux d'une vallée, le chevreuil dans sa forêt ou le phoque tout mouillé qui émerge d'une mer sombre. La couleur marron évoque aussi la mort, la dernière couleur de l'automne avant l'arrivée de la neige. C'est la terre lors d'une sécheresse, dénudée et cuite par un soleil implacable. Ce sont les arbres devenus du simple bois, vieilli et battu par les intempéries ou encore laissé à l'abandon – une maison ancienne ou une épave de bateau. Marron, c'est la nature, du début jusqu'à la fin.

brown

Brown is the colour of fertility itself – for it is the colour of earth, from the farmer's field to the forest floor, the wet shoreline to depths of the riverbed. So too then it is the colour of so many of the animals that dwell upon it, from the bison that once roamed our plains, a brown bear lurching through the lowlands, the deer in the woods, or a wet seal freshly emerged from the dark waves. But brown is also the colour of death. It is the final stage of autumn colours before the snow comes. It is earth in drought, laid barren and parched by the unrelenting sun. And it is the trees rendered into mere wood, aged and weathered and displayed in decay – an old house, a shipwreck. Brown is nature, start to finish.

A charming visage peers out of a traditional Inuit anorak.

TUKTOYAKTUK, NORTHWEST TERRITORIES

Un joli minois sous le capuchon d'un anorak traditionnel inuit.

TUKTOYAKTUK, TERRITOIRE DU NORD-OUEST

Named for five men that attempted to shoot the rapids while exploring new trading routes in 1786, the Rapids of the Drowned belong to the Slave River Rapids Corridor.

NEAR FORT SMITH, NORTHWEST TERRITORIES

Les rapides Drowned font partie du couloir des rapides de la rivière des Esclaves. Leur nom rappelle les cinq hommes qui y ont péri en 1786, alors qu'ils cherchaient de nouvelles routes pour le commerce.

PRÈS DE FORT SMITH, TERRITOIRES DU NORD-OUEST

The Bay of Fundy rests between its famous tides where 100 billion tons of water rush to complete the rhythm.

NEAR CAPE ENRAGE, WATERSIDE, NEW BRUNSWICK

La baie de Fundy au repos entre ses célèbres marées. Deux fois par jour, elles déversent 100 milliards de tonnes d'eau.

PRÈS DU CAP ENRAGÉ, WATERSIDE, NOUVEAU-BRUNSWIC

A deteriorating fishing boat hull is a sure story, sadly stuck in the sand of North Beach.

MASSET, HAIDA GWAII, BRITISH COLUMBIA

La coque d'un bateau de pêche à l'abandon, c'est toute une histoire qui s'enlise tristement dans le sable de North Beach

MASSET, HAÏDA GWAII, COLOMBIE-BRITANNIQUE

Tall ships grace the harbour, and are an
exciting site every time they visit.

BROCKVILLE, ONTARIO

Les grands voiliers paradent dans le port
et à chaque visite la foule est ravie.

BROCKVILLE, ONTARIO

A cannon sits quietly and allows visitors to imagine life
when Signal Hill was an important defence position. The
tower was built between 1898 and 1900 and has a grand
history of discovery, military strength, port signaling and
the first transatlantic wireless signal.

ST. JOHN'S, NEWFOUNDLAND AND LABRADOR

Un paisible canon permet d'imaginer l'époque où Signal
Hill était un poste de défense important. La tour a été bâtie
entre 1898 et 1900. Son histoire parle de découvertes, de
puissance militaire, de signalisation portuaire et de
première transmission sans fil transatlantique.

ST. JOHN'S, TERRE-NEUVE-ET-LABRADOR

Clouds reflect over a foundation of rocks leading
into the waters of Little Doctor Lake, acclaimed
for exceptional fishing, pristine beaches and a
true opportunity to get away from it all.

LITTLE DOCTOR LAKE, NORTHWEST TERRITORIES

Des nuages dominent un fond rocheux qui
pénètre dans les eaux du lac Little Doctor. Le lac
offre une pêche exceptionnelle, des plages
immaculées et une véritable occasion d'évasion.

LAC LITTLE DOCTOR, TERRITOIRES DU NORD-OUEST

PREVIOUS PAGES | PAGES PRÉCÉDENTES

Rocky cliffs shimmer like gold as they did when
Samuel de Champlain visited in 1604 and, according
to legend, named this edge of the world "Cape d'Or".

NOVA SCOTIA

Lorsque Samuel de Champlain les a aperçues en
1604, ces falaises rocheuses avaient sans doute ce
même reflet d'or. Selon la légende, il aurait donné le
nom de Cap d'Or à ce lieu d'un monde nouveau.

NOUVELLE-ÉCOSSE

Semipalmated sandpipers stop over at Mary's Point Bird Sanctuary to fatten up on mud shrimp in the Bay of Fundy before they complete their migration to South America.

ALBERT COUNTY, NEW BRUNSWICK

Des bécasseaux semipalmés font escale dans le sanctuaire d'oiseaux de Mary's Point et font le plein de crevettes fouisseuses de la baie de Fundy avant de poursuivre leur migration vers l'Amérique du Sud.

COMTÉ D'ALBERT, NOUVEAU-BRUNSWICK

Mount Thor's west face boasts an astounding 1,250 m
cliff face drop, the highest on earth, while its elevation
is 1,678 m. Like Mount Asgard, its name is taken from
Norse mythology, after the god of thunder.

BAFFIN ISLAND, AUYUITTUQ NATIONAL PARK, NUNAVUT

Le mont Thor atteint 1 678 mètres et sa face ouest est
une prodigieuse falaise de 1 250 mètres, la plus haute
du monde. Asgard et Thor (dieu du tonnerre) sont des
noms empruntés à la mythologie nordique.

ÎLE DE BAFFIN, PARC NATIONAL AUYUITTUQ, NUNAVUT

Woodland Caribou are the largest of the subspecies in Canada and are endangered. Both genders grow antlers, but they are larger in males.

NORTHERN QUÉBEC

Le caribou des bois est le plus grand représentant d'une sous-espèce menacée au Canada. Mâles et femelles portent des bois ; toutefois, ceux du mâle sont plus grands.

NORD DU QUÉBEC

One of the largest parks on earth, Wood Buffalo National Park protects the diminishing herds of Wood Bison and safeguards the world's only wild flock of whooping cranes. It is also a UNESCO World Heritage Site.

ALBERTA AND NORTHWEST TERRITORIES

Le parc national du Canada Wood Buffalo est l'un des plus vastes au monde. Classé site du patrimoine mondial de l'UNESCO, il a été créé afin de protéger les derniers troupeaux de bisons et est aussi l'aire naturelle de nidification de la grue blanche d'Amérique.

ALBERTA ET TERRITOIRES DU NORD-OUEST

« Je suis un homme,
lâcha-t-il, les hommes
ne boivent pas
de boissons roses.
Femme, va donc me
chercher une bière brune. »

Cassandra Clare, La Cité des ténèbres

Snow and wind playfully slow things down
for inhabitants of a rustic cabin in the
picture-postcard region of Charlevoix.

NEAR SAINT-URBAIN, QUÉBEC

La neige et le vent s'amusent à ralentir
l'existence des habitants d'un chalet rustique
dans la pittoresque région de Charlevoix.

PRÈS DE SAINT-URBAIN, QUÉBEC

Nebulous layers take shape in the
early morning light.

NEAR KINGSTON, ONTARIO

Des strates nébuleuses prennent
forme dans un soleil matinal.

PRÈS DE KINGSTON, ONTARIO

A monochrome hue creates bands of texture over the waters
of the northeast shore of Masset Inlet.

PORT CLEMENTS, HAIDA GWAII, BRITISH COLUMBIA

Une teinte monochrome crée des bandes texturées sur les
eaux de la côte nord-est de Maaset Inlet.

PORT CLEMENTS, HAÏDA GWAII, COLOMBIE-BRITANNIQUE

Prairie real estate rushes by under the
rails. The 1,700 km passage from
Winnipeg to the subarctic of Churchill
is accomplished in two days.

MANITOBA

La prairie défile sous les rails. Il faut
compter deux jours pour franchir les
1 700 kilomètres entre Winnipeg et
Churchill, dans la région subarctique.

MANITOBA

Sand meets shore along the Grande Échouerie beach,
the coastline of the East Point National Wildlife Reserve,
accessible near the Old-Harry wharf.

ÎLES DE LA MADELEINE, QUÉBEC

Sable et rivages se marient le long de la plage de la Grande
Échouerie. Cette côte est celle de la réserve nationale de
faune de la Pointe-de-l'Est, non loin du quai de Old Harry.

ÎLES-DE-LA-MADELEINE, QUÉBEC

FOLLOWING PAGES | PAGES SUIVANTES

Undulating dunes move with the weather for
ever-changing scenery in the 1,900 square kilometer
protected Great Sandhills Ecological Reserve.

NEAR SCEPTRE, SASKATCHEWAN

Le décor change au bon vouloir du vent qui déplace les
dunes ondulantes de la réserve écologique des collines Great
Sandhills. La réserve s'étend sur 1 900 kilomètres carrés.

orange

« Dans ma tête, le ciel est bleu,
l'herbe est verte et
les chats sont orange. »

Jim Davis, Garfield, Une vie de chat · 25e anniversaire

orange

"In my head, the sky is blue,
the grass is green and cats
are orange."

Jim Davis, In Dog Years I'd be Dead: Garfield at 25

Kayakers catch the last rays of sun on the Malbaie River, along the Charlevoix coastline.

NEAR LA MALBAIE, QUÉBEC

Des kayakistes profitent des derniers rayons de soleil sur la rivière Malbaie, en longeant les côtes de Charlevoix.

PRÈS DE LA MALBAIE, QUÉBEC

A boardwalk glides along, close to the beach, protecting the fragile aquatic habitat and anomalous sand dunes on the Northumberland Strait.

LA DUNE DE BOUCTOUCHE, BOUCTOUCHE, NEW BRUNSWICK

Dans le détroit de Northumberland, une passerelle longe la plage et protège un habitat aquatique fragile et des dunes de sable insolites.

LA DUNE DE BOUCTOUCHE, BOUCTOUCHE, NOUVEAU-BRUNSWICK

orange

orange

Récemment un soir d'été, ma femme et moi avons dîné dans un restaurant de Portugal Cove à Terre-Neuve, situé à une vingtaine de minutes de St. John's. Notre table était près d'une fenêtre. Avant même de consulter le menu, nous avons commandé un apéro que nous avons siroté dans un silence admiratif pendant que le soleil se couchait lentement derrière les rochers escarpés de la côte et qu'un traversier voguait vers sa destination sur des eaux miroitantes.

J'ai dit : « C'est certainement la plus belle vue que puisse offrir un restaurant au Canada » et Lisa a acquiescé.

Quelques semaines plus tard, sur la côte ouest du pays, à une distance plus grande que celle entre St. John's et Lisbonne, au Portugal, nous étions attablés dans un restaurant de Tofino, en Colombie-Britannique. Dans le ciel, nous avons aperçu deux aigles à tête blanche qui piquaient vers l'eau et qui s'affrontaient en plein vol. Silhouettes contre un ciel orangé, ils se sont chamaillés âprement, ils ont culbuté un moment puis, soudain, avant de toucher l'eau, ils sont sortis de leur chute libre.

Cette couleur orange, que l'on voit sur les côtes – et partout ailleurs – elle n'évoque pas que des couchers de soleil. C'est la couleur d'une expérience à vivre.

One recent summer evening, I settled in for dinner with my wife at a window side table in a restaurant in Portugal Cove, Newfoundland, about twenty minutes outside of St. John's. Before even scanning the menus, we ordered aperitifs, and sipped and watched in awed silence as the sun set slowly over the steep, rocky shore, and the ferry puttered slowly across the shimmering water.

"This is surely the best view from any restaurant in Canada," I said, and Lisa concurred.

Then a few weeks later, we found ourselves on the opposite coast — further from St. John's than is Lisbon, Portugal. And we did the same thing all over again in a dining room in Tofino, BC, as a pair of bald eagles swooped in low over the water and collided in a mid-air scrap, briefly silhouetted against the orange sun as they took vicious swipes at each other, tumbled briefly, and then seemingly pulled out of the fall at the last possible moment before striking the waves.

But on both coasts and in between, orange means more than sunsets. It's an experience.

Bic National Park, in the St. Lawrence River Estuary, promises a maritime perspective of landscapes, seabirds and seals.
NEAR RIVIÈRE-DU-LOUP, QUÉBEC

Situé dans l'estuaire du fleuve Saint-Laurent, le parc national du Bic offre un décor résolument maritime avec ses paysages, ses phoques et ses oiseaux aquatiques.
PRÈS DE RIVIÈRE-DU-LOUP, QUÉBEC

PREVIOUS PAGE | PAGE PRÉCÉDENTE

Numerous vantage points provide worthwhile stops to revel in the natural wonders along the Icefields Parkway, which parallels the Continental Divide.

ALBERTA

De nombreux points de vue incitent le voyageur à s'arrêter pour admirer les merveilles naturelles que révèle la promenade des Glaciers. Cette route longe la ligne continentale de partage des eaux.

ALBERTA

Weir nets busy at their silent task, a centuries-old fishing style, in the Bas-Saint-Laurent region.

NEAR RIMOUSKI, QUÉBEC

Des filets de bordigue à l'œuvre en silence. Dans le Bas-Saint-Laurent, cette pêche plusieurs fois centenaire est encore pratiquée.

PRÈS DE RIMOUSKI, QUÉBEC

The Broadway Bridge came to life as a make-work project during the depression, linking Broadway Avenue to the downtown business area. The arch style bridge was designed and built by CJ. Mackenzie, Dean of Engineering, who took a leave of absence from the College of Engineering for the contract, and employed over 1,500 workmen.

SASKATOON, SASKATCHEWAN

Le pont Broadway était à l'origine un projet afin de créer de l'emploi durant la crise. Il relie l'avenue Broadway et le quartier des affaires du centre-ville. Ce pont en arc a été conçu et érigé par C. J. Mackenzie. Pour exécuter ce contrat, il avait pris congé du poste de doyen qu'il occupait au Collège d'ingénierie. Environ 1 500 ouvriers ont travaillé au projet.

SASKATOON, SASKATCHEWAN

Fall colours begin to tinge the trees around the Thousand Islands Bridge System, a series of five bridges covering almost 13.7 kilometres, connecting Ivy Lea, Ontario to Alexandria Bay, New York

IVY LEA, ONTARIO

Les arbres revêtent leurs couleurs automnales près des ponts des Mille-Îles. Sur une distance de 13,7 kilomètres, cinq ponts relient Ivy Lea, en Ontario, et Alexandria Bay, dans l'état de New York.

IVY LEA, ONTARIO

Golden-orange rocks break up the North Klondike River on its westward journey to join the Yukon River at Dawson, world-famous for the gold rush in 1896.

NEAR THE DEMPSTER HIGHWAY, YUKON

Quantité de rochers de couleur or-orangé couvrent les rives de la rivière North Klondike qui va rejoindre le fleuve Yukon à Dawson, une ville rendue célèbre par la ruée vers l'or de 1896.

PRÈS DE LA ROUTE DEMPSTER, YUKON

Warm hues saturate the leaves as days get shorter
and trees get ready for winter. Fall colour reports
are copious, making sure travelers get the most
out of the beautiful season.

ALGONQUIN PROVINCIAL PARK, ONTARIO

Des teintes chaudes saturent les feuilles alors
que les jours se font plus courts et que les arbres
se préparent pour l'hiver. Les voyageurs sont
bien renseignés sur les couleurs d'automne et
profitent au maximum de cette belle saison.

PARC PROVINCIAL ALGONQUIN, ONTARIO

FOLLOWING PAGES | PAGES SUIVANTES

Shadows lengthen from the lone sentinel
of this well-tilled field on the largest of
the Thousand Islands.

WOLFE ISLAND, ONTARIO

L'ombre d'une sentinelle solitaire s'allonge
dans un champ bien garni de la plus grande
des Mille-Îles.

ÎLE WOLFE, ONTARIO

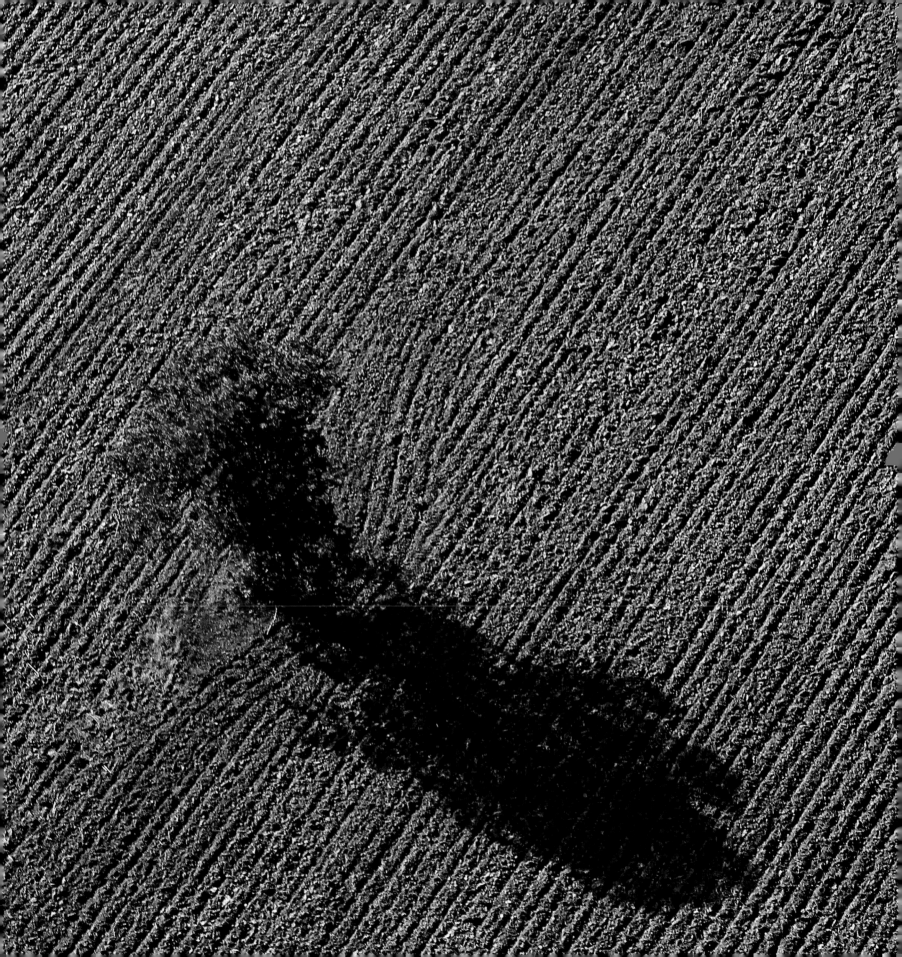

Mountains perfectly reflect below the early
morning mist, just offshore of the Nahanni
Mountain Lodge. The site was home to Gus and
Mary Kraus, pioneers of the north and part of the
history of the Nahanni National Park Reserve.

LITTLE DOCTOR LAKE, NORTHWEST TERRITORIES

Dans un brouillard matinal à proximité de
Nahanni Mountain Lodge, les montagnes se
reflètent parfaitement dans l'eau. Le lieu était
jadis habité par Gus et Mary Kraus, deux
pionniers du Nord qui sont passés à l'histoire de
la réserve de parc national Nahanni.

LAC LITTLE DOCTOR, TERRITOIRES DU NORD-OUEST

The luxurious Fairmont Château Laurier opened in
1912 with rooms going for $ 2 per night.
Tragically, Charles Melville Hays, the visionary of
the building, lost his life onboard the Titanic days
before the grand opening was scheduled.

OTTAWA, ONTARIO

Le luxueux Fairmont Château Laurier a ouvert ses
portes en 1912. À l'époque, une chambre coûtait
la modique somme de 2 $ la nuit. Quelques jours
avant son ouverture officielle, Charles Melville
Hayes, qui était à l'origine de sa construction,
mourut lors du le naufrage du Titanic.

OTTAWA, ONTARIO

When the temperature drops, the
Rideau Canal is the place to be. A
UNESCO World Heritage Site, the
7.8 kilometre skating rink is a
high point of winter.

OTTAWA, ONTARIO

Quand le mercure chute, le canal
Rideau vous fait signe. Véritable
rendez-vous hivernal, la patinoire
fait 7,8 km et fait partie du
patrimoine mondial de l'UNESCO.

OTTAWA, ONTARIO

"Orange is the happiest colour."

Frank Sinatra

Lucent rays break through the trees where
the Amable du Fond River scrambles down
to Smith Lake in the Eau Claire Gorge
Conservation Area.

NEAR NORTH BAY, ONTARIO

Des rayons s'infiltrent à travers les arbres,
là où la rivière Amable du Fond se
précipite vers le lac Smith, dans l'aire de
conservation Eau Claire Gorge.

PRÈS DE NORTH BAY, ONTARIO

« Orange est la plus joyeuse des couleurs. »

Frank Sinatra

Dazzling sights of polar stratospheric clouds
evolve above the pristine hinterland of the
Akshayuk Pass.

BAFFIN ISLAND, AUYUITTUQ NATIONAL PARK, NUNAVUT

Des nuages stratosphériques éblouissants s'étirent
au-dessus de l'arrière-pays vierge du col Akshayuk.

ÎLE DE BAFFIN, PARC NATIONAL AUYUITTUQ, NUNAVUT

Sprightly water streams to catch the nightfall lighting of the Fontaine de Tourny in front of the Québec City legislature buildings.

QUÉBEC CITY, QUÉBEC

L'eau tente d'attraper les rayons d'un soleil couchant à la fontaine de Tourny en face de l'immeuble de l'assemblé nationale, dans la ville de Québec.

QUÉBEC, QUÉBEC

Twilight descends on the Halifax Citadel National Historic Site. The city's first settlers built their homes at the base of Citadel Hill.

HALIFAX, NOVA SCOTIA

Le jour tire à sa fin sur le lieu historique national de la Citadelle d'Halifax. Les premiers habitants construisaient leurs maisons aux pieds de la colline de la citadelle.

HALIFAX, NOUVELLE-ÉCOSSE

"Big Hill" commands the landscape on
Entry Island, the only inhabited island of
the archipelago not connected by road.

ÎLES DE LA MADELEINE, QUÉBEC

Big Hill domine le paysage de l'île
d'Entrée, la seule île de l'archipel qui ne
soit pas reliée aux autres par une route.

ÎLES DE LA MADELEINE, QUÉBEC

The St. John River becomes even more
enchanting in the glow of sunset.
Discoveries are around every bend, in the
many secluded spots and communities
along the riverbanks.

NEAR FREDERICTON, NEW BRUNSWICK

Le fleuve Saint-Jean est encore plus
séduisant au soleil couchant. À chaque
détour, il dévoile des endroits retirés et
des communautés en bordure des rives.

PRÈS DE FREDERICTON, NOUVEAU-BRUNSWICK

A remarkable inland sea with numerous
coves and islands and a rich biosphere
where visitors can take advantage of a
scenic drive circling the lake or various
boat tours.

BRAS D'OR LAKE, NOVA SCOTIA

Voici une mer intérieure remarquable
dotée de nombreuses îles et petites
baies ainsi que d'une riche biosphère.
Des excursions en bateau sont
disponibles et on peut également en
faire le tour sur une route pittoresque.

LAC BRAS D'OR, NOUVELLE-ÉCOSSE

Fishing is a time-honored tradition, with a
delicate balance of nature and technology.

PORT HARDY, BRITISH COLUMBIA

La pêche : une tradition honorable qui offre un
équilibre délicat entre la nature et la technologie.

PORT HARDY, COLOMBIE-BRITANNIQUE

bleu

« Les vieilles cathédrales sont bien,
mais le grand dôme bleu suspendu
au-dessus est encore mieux »

Thomas Carlyle

blue

"The old cathedrals are good,
but the great blue dome that
hangs over everything is better."

Thomas Carlyle

PREVIOUS PAGES | PAGES PRÉCÉDENTES

The Fairmont Chateau Lake Louise enjoys a stunning location where the emerald lake brings summer visitors and splendid mountains welcome winter adventurers.

BANFF NATIONAL PARK, ALBERTA

Le Fairmont Château Lake Louise occupe un site magnifique. Le lac émeraude attire les visiteurs l'été et les splendides montagnes accueillent les aventuriers de l'hiver.

PARC NATIONAL BANFF, ALBERTA

The Church of Our Lady of Good Hope shows remarkable painted detail in contrast to its simple exterior style. The church has stood on a bluff overlooking the Mackenzie River since 1885.

FORT GOOD HOPE, NORTHWEST TERRITORIES

Les détails peints remarquables de l'église Our Lady of Good Hope contrastent avec la simplicité de son extérieur. Elle a été construite en 1885 sur un promontoire qui domine la rivière Mackenzie.

FORT GOOD HOPE, TERRITOIRES DU NORD-OUEST

bleu

Le bleu suggère les extrêmes. Un ciel azuré sans nuages, à la mi-journée l'été promet une chaleur accablante. En hiver, il annonce des froids mordants et sans limites. La nuance bleu clair rappelle l'œuf d'un rouge-gorge que l'on découvre avec joie au fond d'un nid. Mais c'est aussi la froidure évoquée par la couleur opaque d'un glacier qui s'avance vers des eaux frigides. Quand le jour s'achève, c'est la couleur de la neige qui fuit sous les skis ou la motoneige, ou sous des pneus d'hiver qui mordent dans la chaussée d'une route de campagne non déneigée. C'est aussi la chaleur que l'on aperçoit au loin, dans la beauté sauvage d'une côte brumeuse, ou dans un ciel de nuit où se découpe la silhouette illuminée d'une ville que l'on approche dans l'obscurité, avec des attentes à combler.

blue

Blue speaks of extremes. A cloudless cerulean sky at midday in summer means unadulterated heat, while in winter it announces the fiercest, most untempered freeze. Pale blue is the joyful site of a robin's egg in their shared nest. But it is also the embodiment of frigidity, the opaque hue of a glacier descending into frigid waters. It is the colour of snow in the fading light of dusk, slipping past under your skis, or snowmobile, or beneath winter tires biting into an unploughed country road. It is also warmth in the distance, in the unspoiled beauty of a nearing misty coastline, or the glow of the night sky fed by the lights of a city skyline, as you approach in the darkness with simmering expectations.

Local history in all its splendor is celebrated at *Le Pays de la Sagouine* ("the Land of the Washerwoman") as true live theatre acts out Acadian life, laughs and dances around delighted visitors of this special island.

The Red River mirrors the lights of Esplanade Riel,
the pedestrian bridge named to honour Louis Riel,
which accommodates a restaurant at the base of
the feature tower.

WINNIPEG, MANITOBA

La rivière Rouge reflète les lumières de l'esplanade
Riel nommée en hommage à Louis Riel. La tour
abrite un restaurant au rez-de-chaussée.

WINNIPEG, MANITOBA

"I find earth not grey but rosy,

Heaven not grim but fair of hue,

Do I stopp? I pick a posy.

Do I stand and stare? All's blue."

Robert Browning

Towers of sandstone and shale stand separated from the cliffs nearby, formed by erosion and powerful tidal waters of the Bay of Fundy after the last ice age. Officially known as Hopewell Rocks they are also called "Flowerpot Rocks".

HOPEWELL CAPE, ALBERT COUNTY, NEW BRUNSWICK

Ces monuments de grès et de schiste se dressent près des falaises. Suite à la dernière glaciation, ils ont été sculptés par l'érosion et les puissantes marées de la baie de Fundy. Communément appelés Hopewell Rocks, ces rochers portent aussi le nom de « pots à fleurs ».

CAP HOPEWELL, COMTÉ D'ALBERT, NOUVEAU-BRUNSWICK

A moderate walk along the Balancing Rock Trail is well worth the reward of the awe-inspiring view of rugged cliffs and ocean, and a 9 metre columnar basalt rock that defies gravity.

LONG ISLAND, NOVA SCOTIA

Une marche tranquille sur la piste Balancing Rock est bien récompensée par une vue impressionnante des falaises et de l'océan et celle d'une colonne en pierre de basalte qui défie la loi de la gravité.

LONG ISLAND, NOUVELLE-ÉCOSSE

PREVIOUS PAGES | PAGES PRÉCÉDENTES

The laser cut metal sculpture by Joe Fafard shimmers with the colours of its surroundings. Titled "oskana ka-asasteki", derived from the Cree name for the site of Regina, meaning "the place of burnt bones".

F.W. HILL MALL, REGINA, SASKATCHEWAN

Une sculpture de Joe Fafard découpée au laser reflète les couleurs qui l'entourent. Elle s'intitule « oskana ka-asasteki », ce qui signifie « lieu des os brûlés ». C'est le nom que les autochtones Cris ont donné au site de la ville de Regina.

F.W. HILL MALL, REGINA, SASKATCHEWAN

Often depicted in paintings and photographs, the Peggy's Point Lighthouse is almost a century old.

PEGGY'S COVE, NOVA SCOTIA

Le phare de Peggy's Point est presque centenaire. Il a été le sujet d'une quantité innombrable de photos et de peintures.

PEGGY'S COVE, NOUVELLE-ÉCOSSE

Resembling a castle on a hill, the Fairmont Le Chateau Frontenac peers over the gables of the city below. Old Québec is a UNESCO World Heritage Site.

QUÉBEC CITY, QUÉBEC

Tel un château-fort sur une colline, Fairmont Le Château Frontenac domine les toits de la ville qui l'entoure. Le Vieux Québec est inscrit sur la liste du patrimoine mondial de l'UNESCO

QUÉBEC, QUÉBEC

Ice huts appear on frozen lakes as
anglers extend the fishing season.

LAKE SIMCOE, ONTARIO

Snowmobiling is serious fun, with over
362,000 kilometres of trails in North America.

HUDSON BAY, NEAR CHURCHILL, MANITOBA

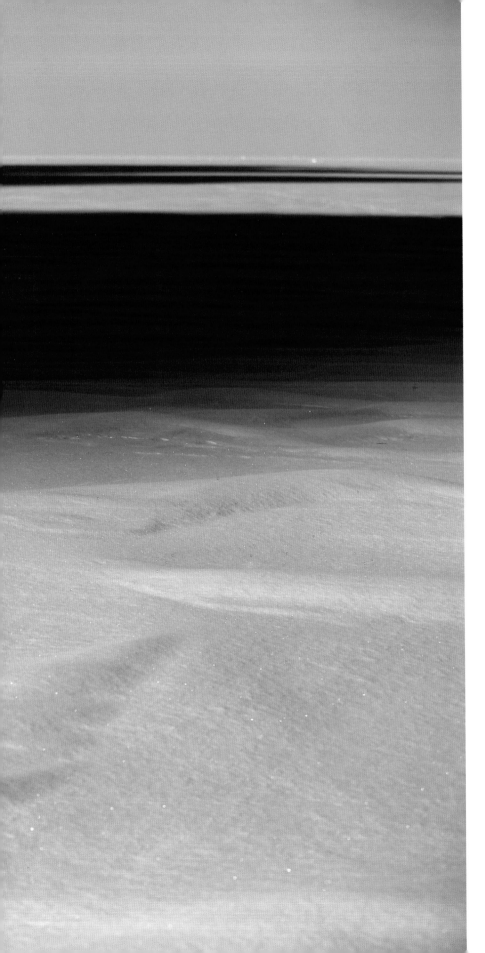

On the west coast of Hudson Bay and only accessible by air, sea or rail, Churchill boasts year-round activity for thousands of visitors with compelling wildlife, kayaking, museums and northern lights shows.

HUDSON BAY, CHURCHILL, MANITOBA

Accessible uniquement par avion, par train ou par la mer, la région de Churchill, sur la côte ouest de la Baie d'Hudson, accueille toute l'année des visiteurs par milliers. Ils sont attirés par la faune sauvage, le kayak, les musées et le spectacle qu'offrent les aurores boréales.

BAIE D'HUDSON, CHURCHILL, MANITOBA

Pushing against the strong currents, the Maid of the Mist boat tour gives a unique perspective of Horseshoe Falls splashing 168,000 cubic metres of water over the brink every minute.

NIAGARA FALLS, ONTARIO

Tenant tête à forts courants, le Maid of the Mist offre une perspective unique sur le « Fer à Cheval » qui déverse au pied de la chute 168 000 mètres cubes d'eau à la minute.

CHUTES DU NIAGARA, ONTARIO

Massive icebergs gather at the tip of the Great Northern Peninsula. They can range in size from more than 10 million tons to the "bergy bits" the size of a house, or "growlers" the size of a small car.

NEAR ST. ANTHONY, NEWFOUNDLAND AND LABRADOR

D'immenses icebergs se rassemblent près de la péninsule Great Northern. Les plus gros peuvent peser 10 millions de tonnes. Les « bergy bits » ont la taille d'une maison et les « growlers » celle d'une petite voiture.

PRÈS DE ST. ANTHONY, TERRE-NEUVE-ET-LABRADOR

Contours fade with the light over Alliford Bay, a key base for seaplane flights and the ferry to Skidegate Landing.

MORESBY ISLAND, BRITISH COLUMBIA

Les contours et la lumière s'estompent sur la baie Alliford, une base importante pour les hydravions et les traversiers qui mènent à Skidegate Landing.

ÎLE MORESBY, COLOMBIE-BRITANNIQUE

« La Terre n'est pas grise, mais plutôt rosée,

Dois-je m'arrêter ? Je cueille une fleur.
Dois-je rester immobile et regarder fixement ?
Tout est bleu. »

Robert Browning

Special explorer vehicles take passengers on the Athabaska Glacier. Located on the panoramic Icefields Parkway, the ice recedes a little each year due to the warming climate.

ALBERTA

Des véhicules d'exploration spéciaux transportent les visiteurs sur le glacier Athabaska. Situé sur la pittoresque Promenade des glaciers, il recule un peu chaque année sous l'effet du réchauffement climatique.

ALBERTA

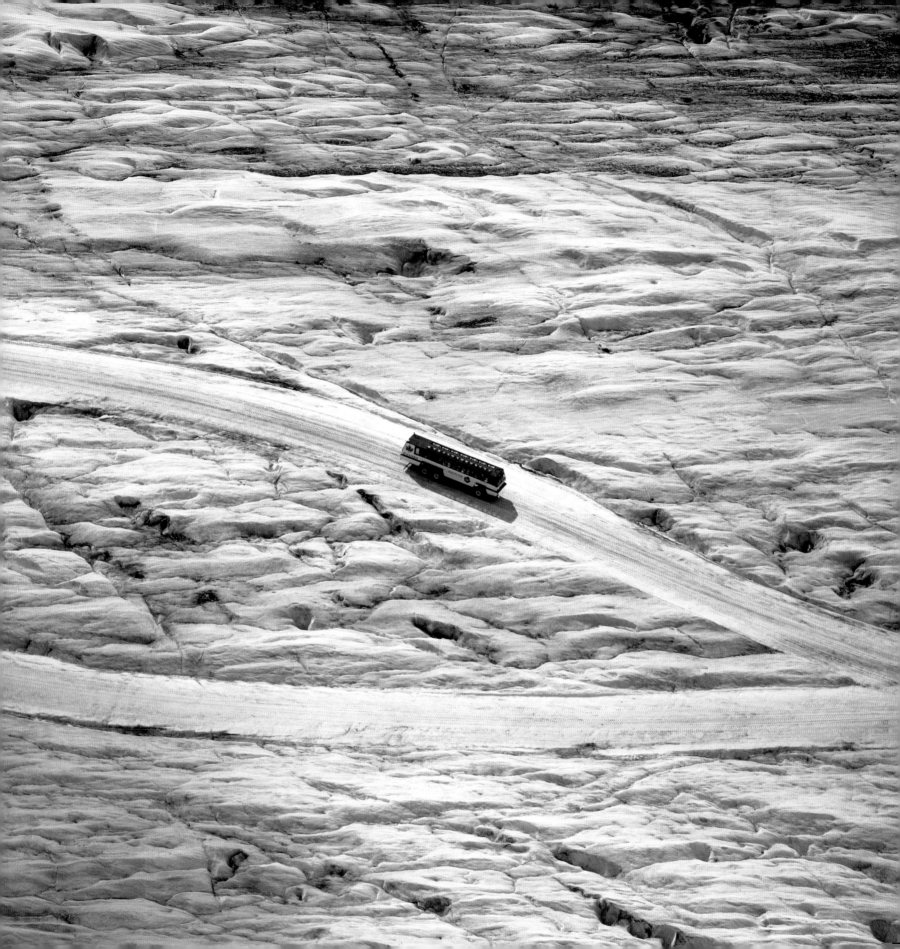

Ferries cruise in luxury on the Inside Passage tour and guarantee an exciting expedition of remote regions and high plains.

BRITISH COLUMBIA

Des traversiers de luxe proposent des croisières le long du Passage de l'Intérieur et des expéditions trépidantes vers des régions éloignées et des plaines en altitude.

COLOMBIE-BRITANNIQUE

The Top of the World Highway lives up to its name as it casually wanders from Alaska to the Yukon above the tree line and deep valleys.

NEAR DAWSON CITY, YUKON

La route Top of the World Highway port bien son nom. Au-delà de la limite forestière et de vallées profondes, elle poursuit son chemin désinvolte entre l'Alaska et le Yukon.

PRÈS DE DAWSON CITY, YUKON

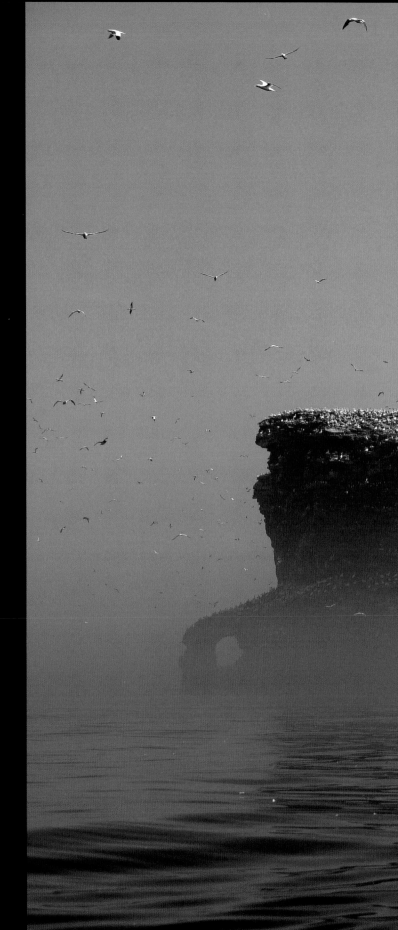

Bird Rock sits in the middle of a shipping lane in the Gulf of St. Lawrence; its now automated lighthouse has been a beacon since 1870. The table-like island and abandoned buildings are a lively bird sanctuary.

ÎLES DE LA MADELEINE, QUÉBEC

Le Rocher-aux-Oiseaux trône au milieu d'une voie de navigation du golfe du Saint-Laurent. Son phare date de 1870 et il est maintenant automatisé. Cette île à surface plane et ses bâtiments abandonnés sont devenus un sanctuaire d'oiseaux.

ÎLES DE LA MADELEINE, QUÉBEC

FOLLOWING PAGES | PAGES SUIVANTES

Waskesiu Lake is in the heart of the Prince Albert National Park and its wildlife treasures including white pelican and plains bison.

WASKESIU, SASKATCHEWAN

Le lac Waskesiu se trouve au cœur du parc national Prince Albert qui abrite une précieuse faune sauvage, dont le pélican blanc et le bison des plaines.

WASKESIU, SASKATCHEWAN

jaune

« Certains peintres transforment le soleil
en un point jaune ; d'autres transforment
un point jaune en soleil. »

Pablo Picasso

yellow

"Some painters transform the sun
into a yellow spot, others transform
a yellow spot into the sun."

Pablo Picasso

jaune

Le jaune symbolise l'espoir. Ce sont les premiers rayons d'un soleil matinal annonçant un nouveau jour, ou un feu de circulation pas tout à fait rouge et qui incite à lever de pied. Jaune, c'est le printemps avec ses crocus, ses jonquilles et ses boutons d'or. C'est la moutarde qui ondule sous la brise des prairies. Ce sont les bottes de foin qui nourriront durant l'hiver les bêtes qui produiront le beurre de notre croissant du matin. Le jaune est une couleur romantique. C'est la flamme de la bougie qui éclaire un dîner ou la lueur d'un feu de camp, devant la tente, sur une plage retirée. Ce sont les rayons de soleil filtrés par les arbres de la forêt. C'est la richesse, l'or. Parfois, c'est une simple volée de pinsons qui gazouillent dans un arbre.

yellow

Yellow is hope. It is an early glimpse of the morning sun, announcing a brand new day, or a traffic light that is not yet red and in the way, as long as you put your foot down. Yellow is springtime – crocus, daffodils and buttercups. It is mustard rustling in the breeze on the prairies. And it is hay stacked in bales – winter feed for the cattle that put the butter in your morning croissant. Yellow is romance; it is candlelight at dinner, or the glow of a campfire by a tent on a quiet beach. It is a glimpse of sunshine, streaking through the trees the forest. It is wealth – in gold. Or sometimes, just a charm of finches chirping in a tree.

PREVIOUS PAGES | PAGES PRÉCÉDENTES

Canola fields are a pure Canadian sight. Researchers from Agriculture and Agri-Food Canada and the University of Manitoba bred the plant and named it for "Canada" and "ola" (meaning "oil").

NEAR WAKAW, SASKATCHEWAN

Les champs de canola sont on ne peut plus canadiens. Des chercheurs d'Agriculture et Agroalimentaire Canada et de l'université du Manitoba ont mis cette graminée au point. Son nom est une contraction de « Canada » et « ola » (en référence à l'huile).

PRÈS DE WAKAW, SASKATCHEWAN

Corn may be the most versatile crop grown. Corn-on-the-cob is a favourite, but it may also be processed for marshmallows, toothpaste and fireworks.

NEAR ORILLIA, ONTARIO

Le maïs est infiniment polyvalent. Il est très populaire en épi, mais on en trouve aussi dans les guimauves, les dentifrices et même les feux d'artifice.

PRÈS D'ORILLIA, ONTARIO

Warm yellow rays bathe the fields around the All Saints Anglican Church, built by residents, on Entry Island.

ÎLES DE LA MADELEINE, QUÉBEC

De chauds rayons dorés illuminent les champs qui entourent l'église anglicane All Saints construite par les habitants de l'île d'Entrée.

ÎLES DE LA MADELEINE, QUÉBEC

Guests slip into life in the French North American colonies during 1744 with a visit to the Fortress of Louisbourg, fortified against the British declaration of war.

LOUISBOURG, NOVA SCOTIA

Des visiteurs font une incursion dans la vie des habitants des colonies françaises en Amérique du Nord en 1744. La fortification de la forteresse de Louisbourg faisait écho à une déclaration de guerre britannique.

LOUISBOURG, NOUVELLE-ÉCOSSE

Boats modestly wait to navigate some
of the best fishing waters in the world.

HAIDA GWAII, BRITISH COLUMBIA

Des bateaux attendent patiemment le
moment d'aller naviguer dans l'une des
plus riches pêcheries du monde.

HAÏDA GWAII, COLOMBIE-BRITANNIQUE

FOLLOWING PAGES | PAGES SUIVANTES

Wheat fields near Aberdeen, a small town
billed as "A Profitable Place for the Settler in
the Last West" in 1910.

SASKATCHEWAN

Des champs de blé près d'Aberdeen. En 1910, la
ville se targuait d'être le dernier retranchement
de l'ouest et un lieu avantageux pour les colons.

SASKATCHEWAN

Artifacts testify to the former glory of the
Giant Mine that produced over 220,000 kg of
gold from 1948 through 2004.

NEAR YELLOWKNIFE, NORTHWEST TERRITORIES

Divers objets évoquent les beaux jours de
Giant Mine. Entre 1948 et 2004, la mine a
produit plus de 220 000 kilos d'or.

PRÈS DE YELLOWKNIFE, TERRITOIRES DU NORD-OUEST

Buttes marked with coloured striate pepper the landscape. The first dinosaur bones found in western Canada were discovered here in 1874.

GRASSLANDS NATIONAL PARK, EAST BLOCK, SASKATCHEWAN

Des buttes ornées de strates de couleur agrémentent le paysage. Les premiers ossements de dinosaures trouvés dans l'ouest canadien ont été découverts ici en 1874.

PARC NATIONAL DES PRAIRIES, BLOC EST, SASKATCHEWAN

FOLLOWING PAGES | PAGES SUIVANTES

A long-sandy beach points the way to the Nahanni Range under a magnificent display.

LITTLE DOCTOR LAKE, NORTHWEST TERRITORIES

Une longue plage de sable pointe en direction de la chaîne de montagnes Nahanni qui étale sa splendeur.

LAC LITTLE DOCTOR, TERRITOIRES DU NORD-OUEST

Humpback whales perform an aquatic pageant. Once
endangered, the species is happily making a comeback.

NEAR VANCOUVER ISLAND, BRITISH COLUMBIA

Des baleines à bosse donnent un spectacle
aquatique. Autrefois menacée, cette espèce connaît
un regain appréciable.

PRÈS DE L'ÎLE DE VANCOUVER, COLOMBIE-BRITANNIQUE

« Il m'aura fallu 40 ans pour
découvrir que le noir était
la reine des couleurs. »

Auguste Renoir

black

"I've been 40 years discovering
that the queen of all colours
was black."

Le noir rappelle l'obscurité et la nuit, un moment de la journée où tant de beautés s'éveillent : les étoiles dans le ciel, les lumières de la ville. Teinte intemporelle et indémodable, le noir évoque aussi le fini lustré d'une voiture de luxe. C'est la nature dans ce qu'elle a de plus envoûtant et inaccessible : un aigle à tête blanche et un saumon qui se débat dans ses serres, un ours surpris dans les bois, des épaulards en quête d'une proie ou une immense baleine à bosse sortant de l'eau pour jeter un coup d'œil. Noir, c'est la silhouette dessinée par un soleil couchant d'une colline, d'une falaise ou d'un immeuble. C'est l'asphalte de la route qui s'étire vers l'horizon. C'est un sol calciné et les souches abandonnées après un incendie de forêt. Le noir ne dégage aucune lumière. Il est menaçant, il est puissant et il a du style.

black

Black is darkness and night, when so much beauty comes to life: stars in the sky, city lights, and city streets. Black is fashionable clothing, and shining paint on a flashy car. It is also nature at its most awesome and forbidding: a bald eagle in flight with a salmon writhing in its talons, a soot-black bear surprised in the woods, Orcas on the hunt, or a monstrous humpback breaching surface to take a slow look around. Black is the silhouette of a hillside or a cliff or a building as the sun sets behind. It is the tar of a road stretching into the distance. It is scorched earth after a forest fire, and the tree stumps left behind. Black has no light, but boasts menace, power and flair.

FOLLOWING PAGES | PAGES SUIVANTES

A snowy carpet shows sharp contrast to lengthening shadows. Boreal forests are a unique feature of the parc national des Grands-Jardins in the Charlevoix region.

NEAR LAC DES CYGNES, QUÉBEC

Un tapis de neige offre un contraste avec ces ombres qui s'étirent. La forêt boréale est l'un des grands attraits du parc national des Grands-Jardins, dans la région de Charlevoix.

PRÈS DU LAC DES CYGNES, QUÉBEC

Habitually solitary, black bears are found across Canada. They have poor eyesight but excellent hearing and a keen sense of smell.

NEAR FORT SIMPSON, NORTHWEST TERRITORIES

Les ours noir sont présents partout au Canada. Reconnus comme des bêtes solitaires, ils ont une vue médiocre, d'excellentes oreilles et un odorat très développé.

PRÈS DE FORT SIMPSON, TERRITOIRES DU NORD-OUEST

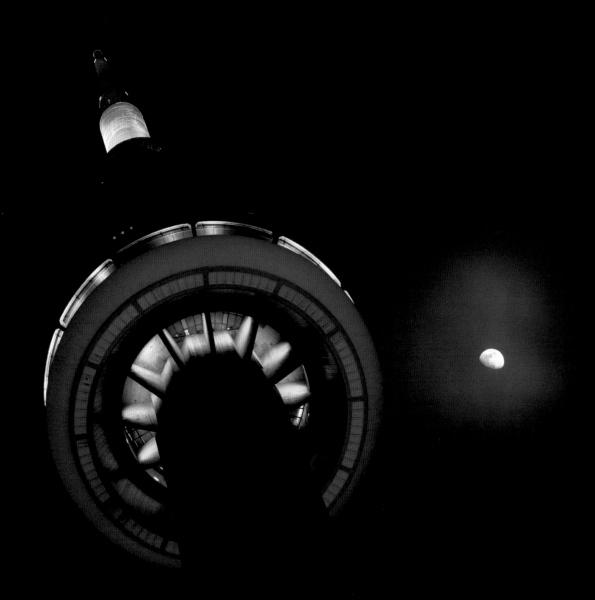

Looking way, way up the CN Tower, the tallest freestanding structure in the western hemisphere.

TORONTO, ONTARIO

Le regard est attiré très haut, vers le ciel, par la tour CN. C'est la structure autoporteuse la plus élevée de l'hémisphère ouest.

TORONTO, ONTARIO

Toronto's downtown lights up the night over Front Street, where the original shoreline of Lake Ontario existed when the city was known as York.

TORONTO, ONTARIO

Le centre-ville de Toronto illumine la nuit dans la rue Front. La rue est à l'endroit où se trouvait la rive du lac Ontario à l'époque où la ville s'appelait York.

TORONTO, ONTARIO

Once the heart of the Klondike Gold Rush, the spirit in the frontier town of Dawson lives on as history and adventure are still celebrated.

DAWSON CITY, YUKON

La ville de Dawson, qui était au cœur de la ruée vers l'or du Klondike, perpétue son souvenir en préservant l'histoire de l'époque et son esprit d'aventure.

DAWSON CITY, YUKON

Conspicuous behind the
dunes on a beach, the
West Point Lighthouse
looks over the western
entrance of the
Northumberland Strait.

CEDAR DUNES
PROVINCIAL PARK,
PRINCE EDWARD ISLAND

Bien en vue derrière les
dunes d'une plage, le
phare de West Point
marque l'entrée ouest
du détroit de
Northumberland.

PARC PROVINCIAL
DE CEDAR DUNES,
ÎLE-DU-PRINCE-ÉDOUARD

Pacific white-sided
dolphins have become
more prevalent around
Pacific coast inlets
since the 1980s
although evidence
shows they have been
in the area far longer.

JUAN PEREZ SOUND,
HAIDA GWAII,
BRITISH COLUMBIA

Depuis les années
1980, la présence des
dauphins à flancs
blancs semble avoir
augmenté près des
petites baies de la côte
du Pacifique.
Cependant,
il semblerait qu'ils
fréquentent ces
endroits depuis
fort longtemps.

DÉTROIT JUAN-PÉREZ,
HAÏDA GWAII,
COLOMBIE-BRITANNIQUE

"Good things of day begin to droop and drowse,

« Les bonnes choses du jour tendent
à s'affaisser et à somnoler,
Tandis que les agents noirs de la nuit
se réveillent pour saisir leurs proies. »

Shakespeare, extrait de Macbeth

Pacific coastal waters are a perfect place for a Bald Eagle to fish. They are accomplished, with large talons and vision that is four to seven times better than a human.

NEAR PORT HARDY, BRITISH COLUMBIA

Les eaux de la côte du Pacifique sont une zone de pêche idéale pour l'aigle à tête blanche. Ses serres puissantes et sa vision de quatre à sept fois supérieure à celle de l'homme en font un pêcheur accompli.

PRÈS DE PORT HARDY, COLOMBIE-BRITANNIQUE

Artistic outlines of Flower Pot Rock break from the shadows in Henslung Bay, on the southern tip of Langara Island.

HAIDA GWAII, BRITISH COLUMBIA

Flower Pot Rock : une silhouette artistique qui sort de l'ombre dans la baie Henslung, au sud de l'île Langara.

HAÏDA GWAII, COLOMBIE-BRITANNIQUE

gris

« La nature humaine n'est pas noire et blanche, mais noire et grise. »

Graham Greene

Standing like a statue, a Great Blue Heron
anticipates prey in the shallow water at La Grave.

ÎLES DE LA MADELEINE, QUÉBEC

Telle une statue, un grand héron bleu attend sa
proie dans l'eau peu profonde de La Grave.

ÎLES DE LA MADELEINE, QUÉBEC

grey

"Human nature is not black and
white but black and grey."

Graham Greene

gris

Dans un paysage, le gris est une teinte neutre, entre-deux, la couleur de la furtivité et du camouflage. C'est la teinte mortuaire finale de ce qu'un climat rude malmène, rejette et laisse pour compte. Le gris, c'est la face rocheuse d'un flanc de montagne et un bois de grève échoué sur le sable mouillé et mat d'une plage. Le gris, c'est un mât totémique haïda reflétant l'effet du temps qui passe inexorablement, un pont de bois, un hangar à bateau sur une côte sauvage. C'est la couleur d'un estuaire ensablé vu du ciel. C'est la fumée et la cendre, un temps maussade qui n'a pas ce qu'il faut pour devenir tempête. Pourtant, la teinte est variée, elle a du relief et elle récompense bien l'œil qui sait regarder.

grey

In the natural landscape, grey is neutral, in between, the colour of stealth and camouflage. It is the final deathly hue of what the harsh climate works over, spits out and leaves behind. Grey is the exposed sheer rock of the mountainside and battered driftwood washed up on the dull, wet sand of the beach. Grey is time, lots of it, applied to an ancient Haida totem, a wooden bridge, a boathouse on a harsh shore. It is the colour of a cold, silt-filled estuary, seen from above. It is smoke and ash and inclement weather inadequately dramatic to qualify as a storm. But for all that it is varied and textured, and makes a nuanced feast for the discerning eye.

A unique apple core shape, the Cape Forchu Lighthouse is guidepost atop the jagged volcanic rocks of Yarmouth Harbour.

CAPE FORCHU, NOVA SCOTIA

En forme de « trognon de pomme », le phare du cap Fourchu guide les marins depuis le sommet des rochers volcaniques du port de Yarmouth.

CAP FOURCHU, NOUVELLE-ÉCOSSE

PREVIOUS PAGES | PAGES PRÉCÉDENTES

Immense spires cut out by the last ice age make up the Cirque of the Unclimbables, part of the Ragged Range. This park was Canada's first UNESCO World Heritage Site.

NAHANNI NATIONAL PARK RESERVE, NORTHWEST TERRITORIES

D'immenses pitons façonnés par la dernière glaciation forment le Cirque of the Unclimbables de la chaîne Ragged. Ce parc est devenu le premier site canadien du patrimoine mondial de l'UNESCO.

RÉSERVE DE PARC NATIONAL DU CANADA NAHANNI, TERRITOIRES DU NORD-OUEST

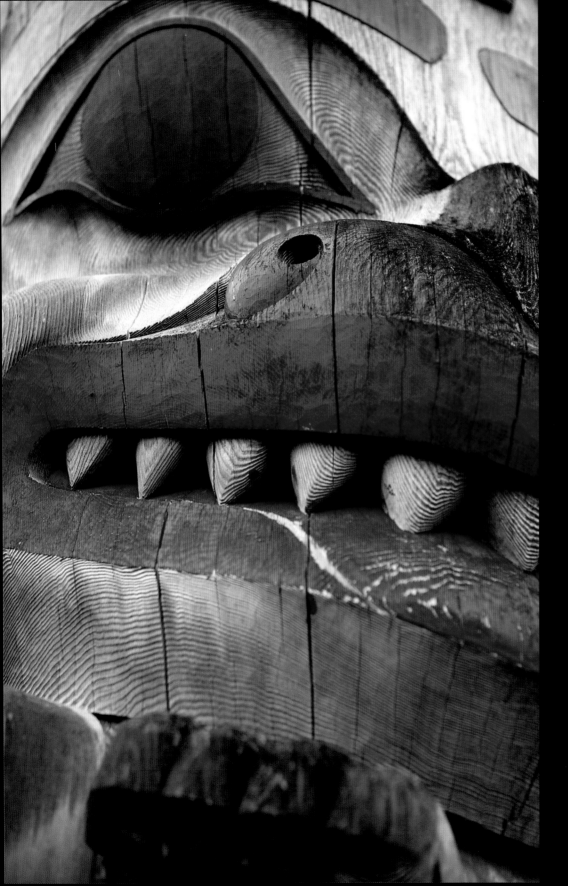

Totems depict wildlife as symbols in accord
with the Haida people. Skidegate (right) is
one of two villages where the Haida
regrouped in the late 1800s during the
devastation of smallpox brought by
Europeans. Old Masset (left) was the other
and is now the administrative seat of the
Council of the Haida Nation.

HAIDA GWAII, BRITISH COLUMBIA

Des animaux sauvages sont représentés sur
ces mâts totémiques par les symboles du
peuple Haïda. Skidegate (à droite) est l'un
des deux villages où se sont réfugiés les
Haïdas, durant les années 1800, alors qu'ils
étaient décimés par une terrible épidémie
de petite vérole amenée chez eux par les
Européens. L'autre village, Old Masset (à
gauche), est devenu le siège administratif
du conseil de la nation Haïda.

HAÏDA GWAI, COLOMBIE-BRITANNIQUE

FOLLOWING PAGES | PAGES SUIVANTES

Nature slowly reclaims the Haida
village of SG̲ang Gwaay Ilnagaay
(Nan Sdins) abandoned since 1880.
Remnants of mortuary poles and
cedar long houses tell the story of a
rich partnership with the land and
sea. A UNESCO World Heritage Site.

HAIDA GWAII, BRITISH COLUMBIA

La nature reprend lentement ses
droits au village SG̲ang Gwaay
Ilnagaay (Nan Sdins), laissé à
l'abandon en 1880. Les vestiges de
mâts mortuaires et de maisons en
cèdre témoignent d'une riche
communion avec la nature. Un site
du patrimoine mondial de l'UNESCO.

HAÏDA GWAII, COLOMBIE-BRITANNIQUE

PREVIOUS PAGES | PAGES PRÉCÉDENTES

A congenial sight, wooden barns are sadly fading
from the countryside as a curiosity from the past.

CLERMONT, QUÉBEC

Témoins du passé et agréables à l'œil, les granges
anciennes disparaissent tristement des paysages.

CLERMONT, QUÉBEC

Highway 16, the main road connecting Old Masset and
Skidegate undulates through dense forest and rugged
mountains on the Haida Gwaii (Queen Charlotte) archipelago.

HAIDA GWAII, BRITISH COLUMBIA

Dans l'archipel Haïda Gwaii (Reine-Charlotte), la route 16
traverse des forêts denses et des montagnes escarpées.
Cette route principale relie Old Masset et Skidegate.

HAÏDA GWAII, COLOMBIE-BRITANNIQUE

Fishing wharves and stages on Ha Ha Bay befit the historic
fishing town of Raleigh on the Great Northern Peninsula.

RALEIGH, NEWFOUNDLAND AND LABRADOR

Les quais de pêche et les échafaudages de la baie Ha Ha se
fondent dans le décor de Raleigh, un village de pêcheurs de
la Grande Péninsule du Nord.

RALEIGH, TERRE-NEUVE-ET-LABRADOR

PREVIOUS PAGES | PAGES PRÉCÉDENTES

A flurry of activity at the busy intersection of Queen Street and University Avenue in the Queen West area of Toronto, Canada's largest city

TORONTO, ONTARIO

Grouillante d'activités, l'intersection de la rue Queen et de l'avenue University située dans le secteur Queen Ouest de Toronto, la métropole du Canada.

TORONTO, ONTARIO

On the freshwater Mackenzie Delta, permafrost Arctic tundra means pipes and wires create a motif above ground.

INUVIK, NORTHWEST TERRITORIES

Dans le delta d'eau douce du fleuve Mackenzie, tuyaux et fils forment des motifs à la surface du pergélisol de la toundra de l'Arctique.

INUVIK, TERRITOIRES DU NORD-OUEST

The shiny stuff is tomatoes.
The salad lies in a group.
The curly stuff is potatoes.
The stuff that moves is soup.
Anything that is white is sweet.
Anything that is brown is meat.
Anything that is grey, don't eat.

Stephen Sondheim (on airline food, in Do I hear a Waltz?)

Clouds swell around the Wheat Pool grain elevator, one of only a few skeletons left to distinguish the ghost town of Bents.

BENTS, SASKATCHEWAN

Des nuages s'amoncellent autour d'un silo à céréales de la Wheat Pool, l'un des rares vestiges de la ville fantôme de Bents.

BENTS, SASKATCHEWAN

Peaceful water laps the shore of North Rustico, also known as
"The Crick" near the Prince Edward Island National Park featuring
important wildlife habitats as well as the Green Gables Heritage Site.

NORTH RUSTICO HARBOUR, PRINCE EDWARD ISLAND

L'eau caresse le rivage de Rustico-Nord, surnommé « The Crick ».
Le village avoisine le parc national de l'Île-du-Prince-Édouard, où l'on
trouve une faune sauvage importante, ainsi que le site patrimonial
de Green Gables.

PORT DE RUSTICO-NORD, ÎLE-DU-PRINCE-ÉDOUARD

Les trucs brillants : ce sont les tomates.

La salade se trouve dans le groupe.

La chose ondulée : ce sont les pommes de terre.

Le machin qui bouge : c'est la soupe.

Tout ce qui est blanc est sucré.

Tout ce qui est marron est de la viande.

Tout ce qui est gris, évitez de manger.

Stephen Sondheim

(au sujet de la nourriture servie à bord d'avions, extrait de Do I hear a Waltz?*)*

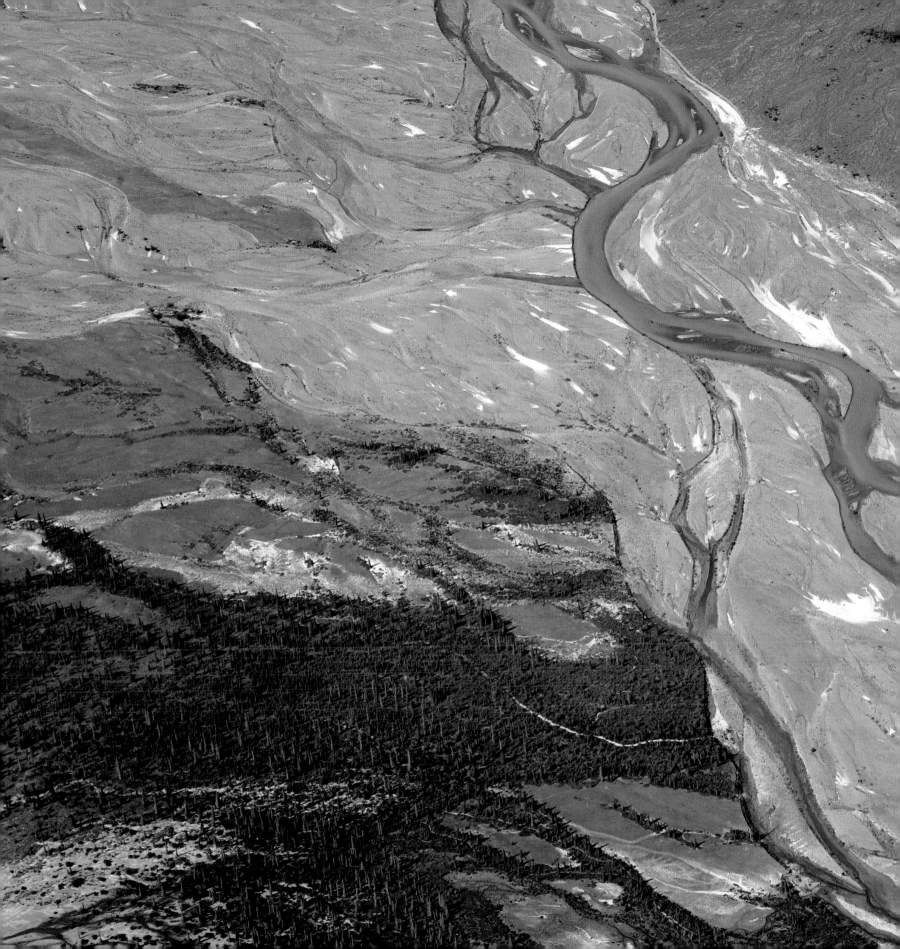

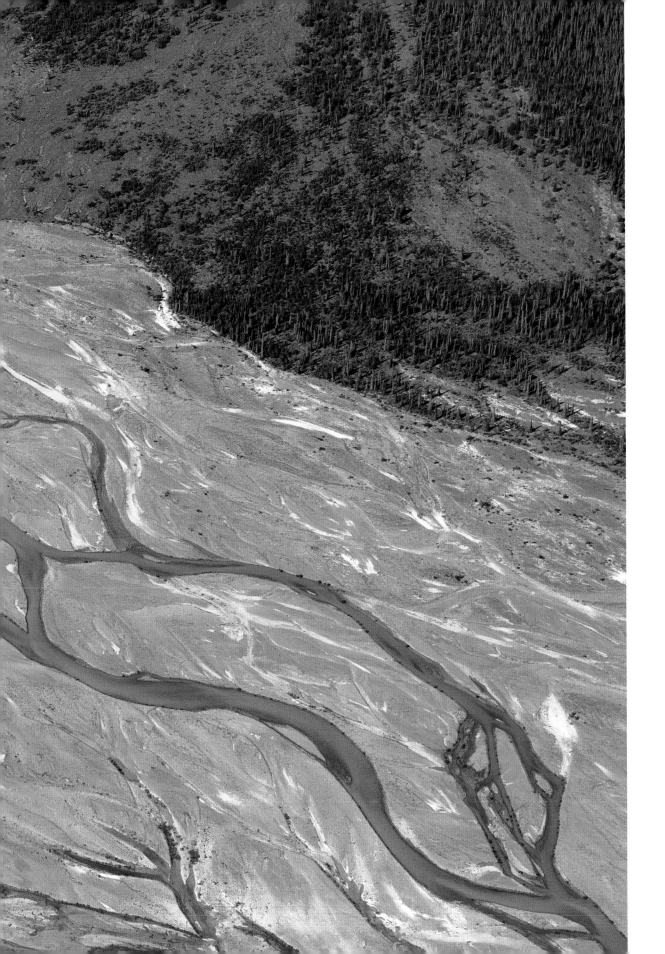

A clear stream rushes down the channels of an alluvial fan in the Bates Lake Basin. Fans usually develop where a canyon drains from mountainous terrain to a flatter plain and have also been seen on Mars.

NEAR BATES LAKE,
ST. ELIAS MOUNTAIN RANGE, YUKON

Un ruisseau se précipite dans un cône d'alluvion, dans le bassin du lac Bates. Un cône se forme habituellement là où les débris d'un canyon s'accumulent sur un terrain plat. Ce phénomène aurait également été repéré sur la planète Mars.

PRÈS DU LAC BATES,
MASSIF DE SAINT-ÉLIE, YUKON

FOLLOWING PAGES | PAGES SUIVANTES

Overcast skies lift off the barren eastern slopes of the Canyon Ranges. Extremely rugged and a perfect region for wildlife such as caribou, moose, bear, Dall's sheep, wolf and certain bird species.

MACKENZIE MOUNTAINS,
NORTHWEST TERRITORIES

Un ciel couvert se dégage sur le flanc est dénudé de la chaîne Canyon. Ce terrain très accidenté est idéal pour le caribou, l'orignal, l'ours, le mouflon de Dall, le loup et certaines espèces d'oiseaux.

MONTS MACKENZIE,
TERRITOIRES DU NORD-OUEST

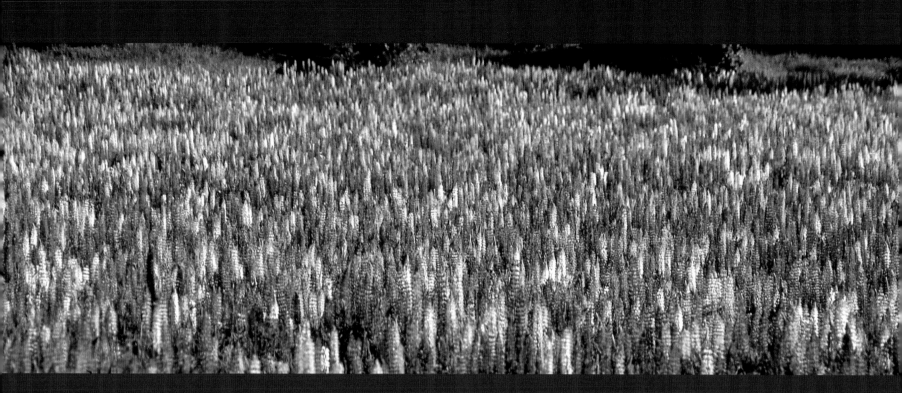

violet

« Il s'enveloppa dans les citations —
tel un mendiant qui s'enroulerait dans
une cape d'apparat de couleur mauve. »

Rudyard Kipling

purple

"He wrapped himself in quotations —
as a beggar would enfold himself in
the purple of Emperors."

Rudyard Kipling

PREVIOUS PAGES | PAGES PRÉCÉDENTES

Varying degrees of purple frame the Queen Charlotte Mountain Range behind Lina Island and reflect in the Skidegate Inlet.

LINA ISLAND, BRITISH COLUMBIA

Diverses teintes de pourpre encadrent les montagnes de la Reine-Charlotte qui se reflètent dans la baie de Skidegate, avec l'île Lina en arrière-plan.

ÎLE LINA, COLOMBIE-BRITANNIQUE

Summer whispers through a captivating stretch of the Dempster Highway. During winter, ice roads and frozen parts of the Mackenzie Delta extend the roadway to Tuktoyaktuk.

DEMPSTER HIGHWAY, YUKON

L'été folâtre sur une section fascinante de la route Dempster. Durant l'hiver, des routes de glace et des sections gelées du delta du fleuve Mackenzie prolongent la route jusqu'à Tuktoyaktuk.

ROUTE DEMPSTER, YUKON

Cap-aux-Meules, the ferry's landing point for visitors to the island, makes a striking first impression of Madelinot colour.

ÎLES DE LA MADELEINE, QUÉBEC

Cap-aux-Meules, le port d'attache du traversier qui amène les visiteurs aux Îles, crée une impression saisissante grâce aux couleurs madeliniennes.

ÎLES DE LA MADELEINE, QUÉBEC

violet

Le mélange du bleu et du rouge ne donne pas qu'une simple teinte violette. C'est un champ de lavande, c'est une floraison de lilas, un mûrier chargé de fruits, un jardin animé de violettes et de pensées. Le violet ce sont les pruneaux bien mûrs qui tiennent la vedette dans un bol. Rien n'évoque le luxe comme le violet. Le terme lui-même est synonyme d'excès. Une maison de cette couleur attirera les regards, sinon les compliments. Cependant, lorsque la couleur apparaît dans la nature de son propre gré, par exemple, dans la lumière oblique d'un jour qui s'achève, elle suscite toujours l'admiration et, le plus souvent, l'émerveillement.

purple

Mix blue and red and you do not just get purple, but a field of lavender, a lilac in full bloom, a mulberry tree laden with ripe berries, a garden enlivened with violets and pansies. Purple is the cluster of ripe plums headlining the fruit bowl. No colour matches purple for luxuriousness; the very word is synonymous with excess. A house painted purple demands attention, and not always of the admiring kind. But in nature, when the colour occurs of its own whimsy — say, in the oblique light of the early evening sky — the response is always admiration, and more often, pure awe.

The historic Roblin's Mill was saved from demolition and moved to Black Creek Pioneer Village to become an operating water-powered mill, teaching visitors how settlers in 1842 harnessed power for their use.

TORONTO, ONTARIO

Bâtiment historique, Robin's Mill a échappé à la démolition. Transporté au Black Creek Pioneer Village, il a été converti en moulin à eau. Les visiteurs peuvent ainsi voir comment les colons de 1842 utilisaient cette ressource énergétique.

TORONTO, ONTARIO

PREVIOUS PAGES | PAGES PRÉCÉDENTES

The sun suspends its last glow over the fields of
Rang Saint-Georges in the Charlevoix region.

NEAR SAINT-HILARION, QUÉBEC

Le soleil verse ses derniers rayons sur les champs du
Rang Saint-Georges, dans la région de Charlevoix.

PRÈS DE SAINT-HILARION, QUÉBEC

"The sky is already purple; the first few
stars have appeared, suddenly, as if
someone had thrown a handful of
silver across the edge of the world."

Alice Hoffman, Here on Earth

Sparkling waters make a bewitching setting at
Bow Lake, one of the largest lakes along the
Icefields Parkway.

BANFF NATIONAL PARK, ALBERTA

Des eaux scintillantes produisent un décor
captivant aux environs du lac Bow, l'un des
plus grands lacs de la promenade des Glaciers.

PARC NATIONAL BANFF, ALBERTA

« Le ciel est déjà mauve ;
les premières étoiles
sont apparues,
soudainement comme
si quelqu'un avait lancé une
poignée de poudre argentée
au bout du monde. »

Alice Hoffman, Un instant de plus ici-bas

Endless beach and warm sunsets inspire long walks
and serene musings beside the sea.
CAVENDISH BEACH, PRINCE EDWARD ISLAND

Une plage à perte de vue et un coucher de soleil
enveloppant sont propices à de longues promenades
et à la contemplation au bord de l'eau.
PLAGE CAVENDISH, ÎLE-DU-PRINCE-ÉDOUARD

FOLLOWING PAGES | PAGES SUIVANTES

The end of the day paints a gorgeous canopy over
Lake Winnipeg. Several large rivers flow into the
sizable lake but only the Nelson River flows out.
MANITOBA

La fin du jour forme une splendide voilure sur le lac
Winnipeg. Ce grand lac accueille les eaux de plusieurs
rivières, mais seule la rivière Nelson s'en écoule.
MANITOBA

PREVIOUS PAGES | PAGES PRÉCÉDENTES

The classic emblem of cottage country,
Muskoka chairs make a distinctive profile
against the beautiful backdrop of Lake Rousseau.

MUSKOKA, ONTARIO

Emblèmes classiques de cette région de
villégiature, les chaises Muskoka projettent un
profil distinctif sur la jolie toile de fond offerte
par le lac Rousseau.

MUSKOKA, ONTARIO

Midway ride lights whirl with excitement at the
Canadian National Exhibition. Founded in 1879
to showcase the latest innovations, the fair now
attracts more than 1.3 million people annually.

TORONTO, ONTARIO

Les lumières des manèges tournoient gaiement
à l'Exposition canadienne nationale. Lancée en
1879, pour mettre en valeur les plus récentes
innovations, cette foire annuelle attire
maintenant plus de 1,3 million de visiteurs.

TORONTO, ONTARIO

History lives on in dance halls, games of chance, saloons and theatres among other luxuries that gave Dawson City the moniker "Paris of the North" during the Gold Rush.

DAWSON CITY, YUKON

L'histoire se perpétue dans les salles de danse, les jeux de hasard, les bars, les théâtres et les autres activités de luxe qui justifiaient le surnom de « Paris du Nord » donné à Dawson City, lors de la ruée vers l'or.

DAWSON CITY, YUKON

FOLLOWING PAGES | PAGES SUIVANTES

A spectacular sunset blankets Old Town on Great Slave Lake.

YELLOWKNIFE, NORTHWEST TERRITORIES

Un coucher de soleil spectaculaire enveloppe Old Town,
sur le Grand lac des Esclaves.

YELLOWKNIFE, TERRITOIRES DU NORD-OUEST

Cumberland Sound, an inlet of Davis Strait, is surrounded by
the endless twilight of the midnight sun.

BAFFIN, NUNAVUT

Scattered houses splash colour down winding roads,
never far from the dunes and alluring beaches.

HAVRE-AUX-MAISONS, ÎLES DE LA MADELEINE, QUÉBEC

Des maisons créent des taches de couleur le long de
routes sinueuses qui ne sont jamais bien loin d'une
dune ou d'une plage magnifique.

HAVRE-AUX-MAISONS, ÎLES DE LA MADELEINE, QUÉBEC

arc-en-ciel

« C'est l'arc-en-ciel qui t'a donné naissance,
Et donné toutes ces jolies couleurs. »

W.H. Davies, The Kingfisher

Sheltered in a valley with an admirable view of the
St. Lawrence River, Baie-Saint-Paul is a favourite subject
for artists – most notably Canada's Group of Seven.

BAIE-SAINT-PAUL, QUÉBEC

Au creux d'une vallée qui offre une vue imprenable sur le
fleuve Saint-Laurent, Baie-Saint-Paul a inspiré bon nombre
d'artistes et, en particulier, ceux du Groupe des Sept.

BAIE-SAINT-PAUL, QUÉBEC

rainbow

"It was the Rainbow gave thee birth,
And left thee all her lovely hues."

W.H. Davies, The Kingfisher

rainbow

The literal rainbow is every colour, arranged by prism in the most beauteous order. Water always does the trick nicely; sunlight and waterfalls combine for a reliable source. Shake up the concept some, though, and the disorder brings a new excitement and beauty to the image. Random circumstance does it best: think cheerfully painted fishing boats docked haphazardly at the shore, downhill skis lined up unthinkingly on a rack outside the chalet, an array of canoes, the cheerful façades of a Whitehorse streetscape. The rainbow is everyday life; turn down the iridescence, and the rainbow is us.

Visitors have been coming to experience the unmatched beauty of Moraine Lake and the Valley of the Ten Peaks since 1894, when Walter Wilcox and Samuel Allen discovered the area and spread the word. The Canadian Rocky Mountain Parks are UNESCO World Heritage Sites.

BANFF NATIONAL PARK, ALBERTA

Depuis que Walter Wilcox et Samuel Allen sont passés par là, en 1894, et on répandu la bonne nouvelle, les visiteurs sont attirés par les beautés incomparables du lac Moraine et de la Vallée des Dix Pics. Les parcs des montagnes Rocheuses canadiennes font partie des sites du patrimoine mondial de l'UNESCO.

PARC NATIONAL BANFF, ALBERTA

...he Cap-aux-Meules harbour echoes the
...ull designs of typical fishing boats.

...ES DE LA MADELEINE, QUÉBEC

...es coques typiques de bateaux de pêche,
...ans le port de Cap-aux-Meules.

...ES DE LA MADELEINE, QUÉBEC

PREVIOUS PAGES | PAGES PRÉCÉDENTES

The South Nahanni River thunders over the 92 metre precipice
of Virginia Falls, about twice the height of Niagara Falls,
to continue its journey to Nahanni Butte.

NAHANNI NATIONAL PARK RESERVE, NORTHWEST TERRITORIES

La rivière Nahanni Sud produit un bruit de tonnerre à la
hauteur des chutes Virginia. Elles sont deux fois plus hautes
que les chutes du Niagara. La rivière poursuit ensuite son
cours jusqu'à Nahanni Butte.

RÉSERVE DE PARC NATIONAL NAHANNI, TERRITOIRES DU NORD-OUEST

The end of the rainbow sits on Entry Island, home to a small
community bounded by rolling green hills in an idyllic rural setting.

ÎLES DE LA MADELEINE, QUÉBEC

L'arc-en-ciel finit sa course à l'île d'Entrée. Une petite communauté
y vit dans les vertes collines d'un décor rural de rêve.

ÎLES DE LA MADELEINE, QUÉBEC

Containers are ready for the next
shipment from "the Lobster Capital
of the World".

SHÉDIAC, NEW BRUNSWICK

Les caisses sont prêtes pour la
prochaine livraison en provenance de
la « Capitale mondiale du homard ».

SHÉDIAC, NOUVEAU-BRUNSWICK

The ideal place to become tied up – a
little town by the sea with easy access
to assorted wilderness adventure.

PORT CLEMENTS, HAIDA GWAII,
BRITISH COLUMBIA

L'endroit idéal pour créer des liens : une
petite ville sur la mer donnant accès à
une foule d'aventures en pleine nature.

PORT CLEMENTS, HAÏDA GWAII,
COLOMBIE-BRITANNIQUE

arc-en-ciel

En réalité, l'arc-en-ciel est un ensemble très harmonieux de toutes les couleurs, vues à travers un prisme. L'eau joue très bien ce rôle de prisme. Le soleil et les chutes d'eau en sont une source fiable. Toutefois, il suffit de secouer un peu le concept pour qu'un certain désordre introduise une émotion et une beauté nouvelles dans l'image. Le hasard fait bien ces choses. Pensez à des bateaux aux couleurs joyeuses amarrés au petit bonheur près de la côte. À des skis alpins appuyés dans le désordre sur un support, près d'un chalet. À des canots rangés côte à côte. Aux façades enjouées des maisons, dans une rue de Whitehorse. L'arc-en-ciel, c'est la vie de tous les jours. Hormis l'iridescence, l'arc-en-ciel, c'est nous.

Excited to embrace the best of winter, thousands come to the Québec Winter Carnival for the magical experience of the world's largest winter carnival.

QUÉBEC CITY, QUÉBEC

En quête du meilleur de l'hiver, des milliers de personnes viennent au Carnaval de Québec pour y vivre l'expérience du plus grand carnaval d'hiver au monde.

QUÉBEC, QUÉBEC

Le Massif boasts the highest vertical drop in Eastern Canada. The slopes give a splendid view as they sweep down to the St. Lawrence River.

PETITE-RIVIÈRE-SAINT FRANÇOIS, CHARLEVOIX, QUÉBEC

Le Massif offre la plus haute dénivellation de l'est du Canada. Les vues sont splendides depuis les pistes qui dévalent vers le fleuve Saint-Laurent.

PETITE-RIVIÈRE-SAINT-FRANÇOIS, CHARLEVOIX, QUÉBEC

Enthusiastically celebrating the cold, fun-loving festival-goers have looked forward to the Québec Winter Carnival every year since 1955.

QUÉBEC CITY, QUÉBEC

Depuis 1955, de joyeux fêtards accueillent la froidure avec joie et se donnent rendez-vous au Carnaval de Québec.

QUÉBEC, QUÉBEC

City towers make a glistening mosaic in the moonlit waters of Vancouver Harbour.
VANCOUVER, BRITISH COLUMBIA

Les gratte-ciel composent une mosaïque scintillante éclairée par la lune sur les eaux du port de Vancouver.

PREVIOUS PAGES | PAGES PRÉCÉDENTES

The majestic Legislative Assembly is a tribute to the style of English Renaissance and Louis XVI of France.

REGINA, SASKATCHEWAN

La majesté de l'immeuble de l'Assemblée législative évoque à la fois la Renaissance anglaise et l'époque de Louis XVI, roi de France.

REGINA, SASKATCHEWAN

Early in the 1800s, the PEI Legislature met in houses, taverns and at the Court House. Identifying a need for a proper building for the seat of the Legislative Assembly, Province House was completed in 1847.

CHARLOTTETOWN, PRINCE EDWARD ISLAND

Au début des années 1800, les membres de l'Assemblée législative de l'Île-du-Prince-Édouard se réunissaient dans une maison, une taverne ou le palais de justice. Inauguré en 1847, l'immeuble appelé Province House comblait un besoin devenu évident.

CHARLOTTETOWN, ÎLE-DU-PRINCE-ÉDOUARD

Victorian style houses dressed in their finest; the vibrant colours an
explanation of why they are known as "Jellybean Row" – an
affectionate generic nickname for all the bright downtown row houses.

ST. JOHN'S NEWFOUNDLAND AND LABRADOR

Ces maisons de style victorien ont revêtu leurs plus beaux atours. Ce
sont les couleurs vives qui ont inspiré le surnom de « Jelly Bean Row »
gentiment donné à ces maisons d'un quartier du centre-ville.

ST. JOHN'S, TERRE-NEUVE-ET-LABRADOR

Turquoise lakes mirror crisp
autumn colours in a
breathtaking scene.

ALGONQUIN PROVINCIAL PARK,
ONTARIO

Dans un décor à couper le souffle,
les lacs turquoise reflètent les
couleurs vives de l'automne.

PARC PROVINCIAL ALGONQUIN,
ONTARIO

Round hay bales line up
on a strip of fertile
farmland in the Parkland.

NEAR GILBERT PLAINS,
MANITOBA

Des rouleaux de foin sont
alignés sur les terres
fertiles de la région de
Parkland.

PRÈS DE GILBERT PLAINS,
MANITOBA

FOLLOWING PAGES | PAGES SUIVANTES

Multi-coloured cottages dot
the characteristic red cliffs
at Dune-du-Sud.

HAVRE-AUX-MAISONS,
ÎLES DE LA MADELEINE, QUÉBEC

Des chalets multicolores ornent
les falaises rouges typiques de
la Dune-du-Sud.

HAVRE-AUX-MAISONS,
ÎLES DE LA MADELEINE, QUÉBEC

couleur vivante

« La vie consiste à utiliser tous les crayons de couleur de la boîte. »

An entertaining tradition of questionable origin, a horde of well-worn cowboy boots hangs at the entrance to Great Sandhills.

NEAR SCEPTRE, SASKATCHEWAN

Une tradition amusante d'origine incertaine : des bottes de cowboy bien usées sont accrochées à l'entrée de Great Sandhills.

PRÈS DE SCEPTRE, SASKATCHEWAN

living colour

A heat wave is no match for the cool
St. Lawrence River.

BROCKVILLE, ONTARIO

Une vague de chaleur n'est pas de taille
contre la fraîcheur du fleuve Saint-Laurent.

BROCKVILLE, ONTARIO

Revealing a little more than tubing finesse,
tons of fun is top priority.

KAMLOOPS LAKE, KAMLOOPS, BRITISH COLUMBIA

Au diable l'élégance, ce qui compte avant tout
c'est le plaisir.

LAC KAMLOOPS, KAMLOOPS, COLOMBIE-BRITANNIQUE

Dancing in the streets and spreading good vibes during the
Caribbean Carnival, (formerly Caribana), North America's
largest cultural festival.

TORONTO, ONTARIO

Festivités, danses endiablées et bonnes vibrations au menu
du Caribbean Carnival (autrefois appelé Caribana), le plus
grand festival culturel d'Amérique du Nord

TORONTO, ONTARIO

Wedding days are
made for loved ones.

PEGGY'S COVE,
NOVA SCOTIA

Un mariage, deux
amoureux !

PEGGY'S COVE,
NOUVELLE-ÉCOSSE

Suggestions of summertime treats struggle to
make an appearance reminding passersby to
come back when the snow drifts melt away.

SAINTE-AGATHE, QUÉBEC

Les plaisirs de l'été ont du mal à se faire voir
et rappellent au passant qu'il faudra revenir à
la fonte des neiges.

SAINTE-AGATHE, QUÉBEC

Smiles are contagious on sunny days
at a winter playground.

MONT-TREMBLANT, QUÉBEC

Un sourire contagieux dans un décor
hivernal baigné de soleil.

MONT-TREMBLANT, QUÉBEC

A poor disguise but a wonderful candid shot of
a good-humored boy.

TROUT LAKE, NORTHWEST TERRITORIES

Un déguisement couci-couça, mais une jolie
photo d'un garçon plein d'humour.

LAC TROUT, TERRITOIRES DU NORD-OUEST

A local moose surveys his surroundings.

DAWSON CITY, YUKON

Un orignal scrute les environs.

DAWSON CITY, YUKON

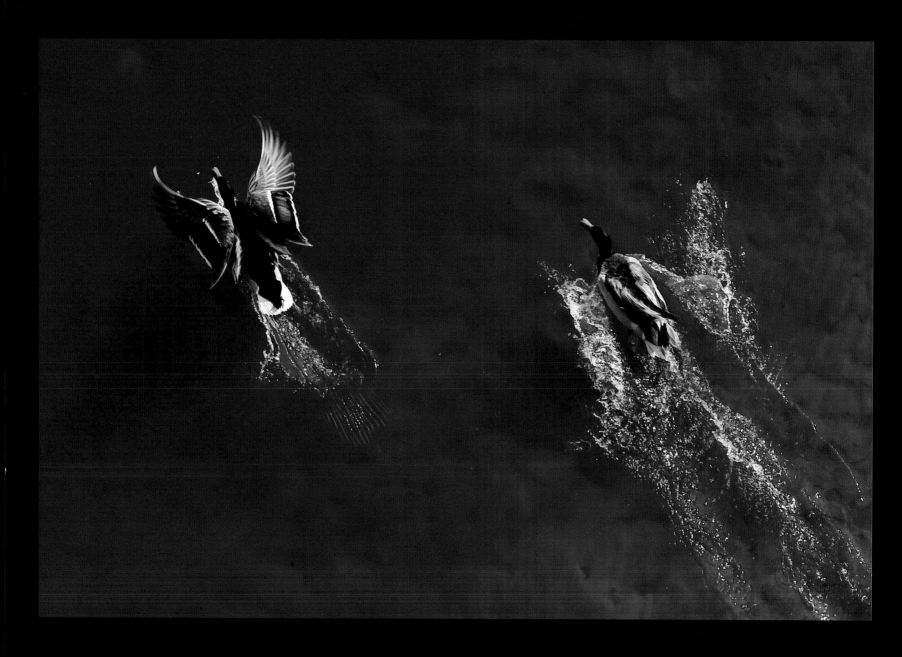

A bird's eye view of Mallard ducks. They can
take off virtually straight up from the water.

BROADWAY BRIDGE, SASKATOON, SASKATCHEWAN

Des canards colverts vus à vol d'oiseau.
Lorsqu'ils sortent de l'eau, ils s'envolent
presque à la verticale.

PONT BROADWAY, SASKATOON, SASKATCHEWAN

Crazy for peanuts, the bold Steller's jay
is frequently seen scavenging. The lack
of white sets it apart from other jays.

BRITISH COLOMBIA

Friand de cacahuètes, le geai de Steller
se fait aussi volontiers charognard.
C'est l'absence de blanc dans son
plumage qui le distingue des autres
geais.

COLOMBIE-BRITANNIQUE

From sea to sea, a stop at Tim's is a
favourite Canadian pastime.

IQALUIT, NUNAVUT

D'un océan à l'autre, un arrêt chez Tim est
une tradition canadienne bien établie.

IQUALUIT, NUNAVUT

George
Fischer

George Fischer is one of Canada's most renowned and prolific landscape photographers. He has produced over 45 books and 50 art posters. His work has also appeared on the covers of numerous international magazines and newspapers, and in the promotional publications of tourism agencies around the world. His book entitled *Unforgettable Canada* was on *The Globe and Mail*'s bestseller list for eight weeks and sold over 50,000 copies. Other titles in the Unforgettable series include: *Unforgettable Tuscany & Florence*, *Unforgettable Paris Inoubliable*, *Unforgettable Atlantic Canada*, *The 1000 Islands – Unforgettable*, and *Les Îles de la Madeleine Inoubliables*. His most recent works include *Toronto* and *Exotiques Îles de la Madeleine – Ever exotic*. George Fischer resides in Toronto, Canada.

See more of George Fischer's work at georgefischerphotography.com

George Fischer est l'un des photographes paysagers les plus célèbres et les plus prolifiques du Canada. Il a réalisé plus de 45 livres et plus de 50 affiches artistiques. Ses œuvres ont fait la couverture de nombreux magazines et journaux internationaux et de documents publicitaires de bureaux de tourisme à travers le monde. Son livre *Unforgettable Canada* a été sur la liste des best-sellers du journal *The Globe and Mail* durant huit semaines et s'est vendu à plus de 50 000 exemplaires. La série Unforgettable comprend aussi *Unforgettable Tuscany & Florence*, *Unforgettable Paris Inoubliable*, *Unforgettable Atlantic Canada*, *The 1000 Islands – Unforgettable* et *Les Îles de la Madeleine Inoubliables*. Parmi ses œuvres les plus récentes figurent *Exotiques Îles de la Madeleine – Ever Exotic* et *Toronto*. George Fischer réside à Toronto, au Canada.

Pour en savoir plus sur les œuvres de George Fischer, consulter www.georgefischerphotography.com

Jacob
Richler

Jacob Richler is an award-winning journalist and magazine writer whose work has appeared in *GQ, Departures, Flare, Zoomer, Financial Post magazine, Toronto Life, Canadian Business, Saturday Night,* and *enRoute*, amongst many others. He writes a regular food column for Maclean's magazine and is the editor and chief critic for their annual *Best Restaurants in Canada* issue. He has co-authored two cookbooks with Mark McEwan (*Great Food at Home* and *Mark McEwan's Fabbrica*) and one with Susur Lee (*Susur: A Culinary Life*). His book on Canadian cuisine, titled *My Canada Includes Foie Gras*, was published by Penguin in October 2012.

See: jacobrichler.com

Journaliste primé, Jacob Richler a écrit des articles pour des magazines tels que *GQ, Departures, Flare, Zoomer, Financial Post Magazine, Toronto Life, Canadian Business, Saturday Night* et *enRoute*. Il contribue à la chronique culinaire régulière du magazine MacLean's et il est également le rédacteur et le critique en chef de l'édition annuelle *Best Restaurants in Canada*. Il a coécrit deux livres de recettes en compagnie de Mark McEwen (*Great Food at Home* et *Mark McEwen's Fabrica*) et un troisième avec Susur Lee (*Susur: A Culinary Life*). Son livre sur la cuisine canadienne intitulé *My Canada Includes Foie Gras* a été publié par Penguin en 2012.

Consulter : jacobrichler.com

Jean Lepage

Born in Sablé-sur-Sarthe, in France, Jean-Louis Lepage traveled extensively across Europe between the ages of 18 and 25. He came to Canada in 1966, settling first in Montréal for 18 months, then moving to Toronto. Jean-Louis has visited a different country every year for the past 25 years. Since 1991, he has worked with George Fischer, as his assistant, for over 40 photography books from various countries. Jean-Louis has visited more than 85 countries. He tends to travel to the mountainous regions of Mexico in the winter and Europe in the fall. He resides in Toronto, Canada.

Jean-Louis Lepage est né à Sablé-sur-Sarthe, en France. De 18 à 25 ans, il a beaucoup voyagé partout en Europe. Arrivé au Canada en 1966, il a vécu à Montréal pendant 18 mois avant de s'établir à Toronto. Chaque année, depuis 25 ans, Jean-Louis part à la découverte d'un nouveau pays. Il est l'assistant de George Fischer depuis 1991 et il a collaboré à la production de plus de 40 livres de photos réalisées dans différents pays. Il a lui-même visité plus de 85 pays. En hiver, il privilégie les régions montagneuses du Mexique et, en automne, les pays d'Europe. Il réside à Toronto, au Canada.

Reginald Poirier

Réginald Poirier was born on Les Îles de la Madeleine. His roots are Acadian and they surely account for his abiding love of the sea, the wind and island living. He studied agronomy at Montréal's McGill University. For the past 20 years, this Madelinot has been a co-owner of Domaine du Vieux Couvent, a superb small hotel located on Les Îles. George and Réginald met 28 years ago and they became instant friends. It is Réginald's deep-seated penchant for adventure that has led this hotel-keeper to accompany his photographer friend on a number of expeditions.

De souche acadienne, Réginald Poirier est né aux Îles de la Madeleine. C'est sûrement ce qui explique son amour de la mer, du vent et de l'insularité. Il a fait des études en agronomie à l'Université McGill à Montréal. Depuis 20 ans, ce Madelinot est copropriétaire du Domaine du Vieux Couvent, un magnifique petit hôtel situé aux Îles. Il y a 28 ans, Georges et Réginald se sont rencontrés et se sont immédiatement liés d'amitié. C'est sa soif d'aventures et de découvertes qui a incité cet hôtelier à accompagner son ami photographe lors de nombreuses expéditions.

This book project would not have been possible without the help, assistance, guidance, and input of many individuals and organizations to which I am truly grateful. In no particular order, I would like to thank my assistants – Jean Lepage, Reginald Poirier, Sean and Ryan Fischer. Over the past 10 years, all of you have traversed this magnificent country with me. Despite good and bad weather, delays of all sorts, dangerous encounters with wild animals and many precarious perches to get the "best shot", we discovered the beauty of our truly diverse and spectacular country together. Thanks for putting up with me!

To my designer Catharine Barker: although you did not travel to many of the places with me, I know you have been there in spirit. You have made this book on Canada, as you have with all my other books, a great work of art where your design has captured what I have captured on film – a love for this country. Thank you also for your added skills in writing the captions for the images.

Thanks to Jacob Richler, who I know shares my love of Canada, for his great penmanship.

Thanks to Line Thériault and Guy Thériault for the momentous task of editing and translation. It was important for me to honour both of Canada's languages.

To Doris Chung, I am grateful for the printing skills once again for this 48th book!

This year, I traveled to Nunavut and Saskatchewan, two stunning locations in Canada that I had never before visited. I would like to extend my thanks to the staff of Parks Canada in Pangnirtung, Qikiqtarjuaq and Iqaluit, notably Delia Siivola, Karen Petkau and Billy Etooangat for providing me with extensive information on the truly breathtaking Auyuittuq National Park.

Thanks also to James Paris for giving me the opportunity to photograph local artisans at the Uqqurmiut Centre for Arts & Crafts. Also from Nunavut, I would like to thank Ooleepeeka Aranqaq and Mike Cook for making local contacts for me in Pangnirtung and Qikiqtarjuaq. My appreciation also to Billy Arnaquq and Joavie Alivaktuk without whose guiding abilities, I could never have imagined photographing a polar bear and her cubs or being in a sled pulled by a snow machine up the gorgeous Akshayuk Pass.

Thank you to the two pilots from Ken Borek Air, Rory MacNicol and Alex McCorquodale, for getting up at 2 am to fly to Thor Peak and Mount Asgard, so that we could catch the sunrise photo of Mount Asgard which appears on the cover of this book and makes it so special. And thanks to Joan Griffin for coordinating it all.

To my sponsors at Canadian North Airlines: Laval St Germain, Lisa Hicks, Jean Vivian and Valerie Vrisk. Thanks for taking care of all my flying arrangements to Nunavut.

To my sponsors at Verdiroc Holdings Ltd: Cary Green, Hanita Braun, Nicole Kirby and Jessica Green. Thanks for believing in another Canadian book project.

To Ted Grant and Kristen Tanche of Simpson Air and the Nahanni Mountain Lodge for your continued support of my work.

And finally, to Susan Carnevale of Hicks Morley, thanks for the enthusiasm that you bring to all you are involved in and another good adventure together.

For my trip to Saskatchewan and arranging to have 10 beautiful sunny days, I would like to thank Amy McInnis and Shane Owen from Tourism Saskatchewan. I also appreciate the incredible job of organizing my route, hotels and sightseeing activities. And thanks to Tillie Duncan who gave us the best badlands tour ever!

To my good trekking friends in Saskatchewan, Evan Quick, Sue Ashburner and Sharon and Brian Elder, thanks for showing me the "Best" of Regina, Saskatoon and points in between.

Thanks to Sheldon Nitkin and Kevin Vassolo from the Toronto and Calgary offices of Vistek for the absolutely unbelievable mission of getting my tripod plate to me via the WestJet crew of Brittany MacPhee and Donald Rees. The photo of the bridge at night in Saskatoon would not have been possible without your combined efforts.

Last but certainly not least, I would like to thank Brooke Huestis for all her help in getting our Prime Minister, Stephen Harper, to write this wonderful preface to *Canada in Colour*. I am honoured.

PHOTO CREDITS: Mike Grandmaison / www.grandmaison.mb.ca, page 176
Sean Fischer, pages 315 and 318

Ce livre n'aurait pas été possible sans l'aide, le soutien, les conseils et la contribution d'un grand nombre de personnes et d'organismes. Je tiens à leur exprimer ici toute ma reconnaissance. Sans ordre particulier, je tiens à remercier en premier lieu mes assistants – Jean Lepage, Réginald Poirier, Sean Fischer et Ryan Fischer. Depuis 10 ans, vous avez parcouru avec moi ce magnifique pays. Par beau et par mauvais temps, en dépit des retards de toutes sortes, des rencontres dangereuses avec des bêtes sauvages et malgré la fréquente précarité des perchoirs improvisés pour obtenir le « meilleur cliché », nous avons découvert ensemble les beautés d'un pays aussi diversifié que spectaculaire. Et merci de votre patience à mon égard !

À Catharine Barker, graphiste et artiste, je dis : bien que tu ne m'aies pas souvent accompagné, je sais que tu étais partout présente par l'esprit. Comme pour tous mes livres précédents, tu as fait de ce livre sur le Canada une œuvre d'art. Grâce à toi, le livre traduit parfaitement bien l'essence de ce que j'ai photographié, c'est-à-dire l'amour que suscite ce pays. Merci aussi pour le talent avec lequel tu as créé les légendes qui accompagnent les images.

Je tiens à remercier Jacob Richler, dont je sais qu'il partage tout mon amour pour le Canada, d'avoir prêté son grand talent d'écriture à ce projet.

Merci à Line Thériault et Guy Thériault d'avoir si bien relevé le défi de la traduction et de la révision des textes. J'estimais important de témoigner ce respect aux deux langues officielles du Canada.

Je remercie également Doris Chung dont le talent de maître imprimeur est une fois de plus mis à contribution pour ce 48e ouvrage !

Cette année, je suis allé au Nunavut et en Saskatchewan, deux splendides régions du Canada que je ne connaissais pas. Je remercie les employés de Parcs Canada à Pangnirtung, Qikiqtarjuaq et Iqaluit, et particulièrement Delia Siivola, Karen Perkau et Billy Etooangat de m'avoir fourni une multitude d'informations sur le splendide parc national Auyuittuq.

Je tiens à remercier James Paris, grâce à qui j'ai pu photographier des artisans locaux au centre d'artisanat d'Uqqurmiut. Au Nunavut, je remercie également Ooleepeeka Aranqaq et Mike Cook d'avoir établi pour moi des contacts locaux à Pangnirtung et Qikiqtarjuaq. Mes sincères remerciements à Billy Arnaquq et Joavie Alivaktuk ; sans leur contribution de guides chevronnés, je n'aurai jamais pu m'approcher d'une ourse polaire et ses petits ou encore traverser, accroché à un traîneau tiré par une motoneige, le splendide col d'Akshayuk.

Mes remerciements à Rory MacNicol et Alex McCorquodale, deux pilotes de Ken Borek Air qui se sont levés à deux heures du matin pour survoler les monts Thor et Asgard. Ce vol a rendu possible la photo du mont Asgard au lever du jour qui orne la couverture du livre et lui donne un cachet si particulier. Et merci à Joan Griffin pour ses talents de coordinatrice.

Merci à mes commanditaires chez Canadian North Airlines : Laval St-Germain, Lisa Hicks, Jean Vivian et Valerie Vrisk qui ont organisé tous mes vols au Nunavut.

Merci à mes commanditaires chez Verdiroc Holdings Ltd : Cary Green, Hanita Braun, Nicole Kirby et Jessica Green qui ont accepté de soutenir un autre projet de livre sur le Canada.

Merci à Ted Grand et Kristen Tanche chez Simpson Air et Nahanni Mountain Lodge, pour votre indéfectible soutien.

Enfin, je tiens à remercier Susan Carnevale de Hicks Morley, pour l'enthousiasme qu'elle manifeste dans tout ce qu'elle fait et pour une nouvelle aventure commune réussie.

Pour l'organisation de mon voyage en Saskatchewan et les 10 jours ensoleillés, je remercie Amy McInnis et Shane Owen de Tourism Saskatchewan. J'ai beaucoup apprécié la diligence avec laquelle ils ont organisé le trajet, les hôtels et les visites. Merci à Tillie Duncan qui nous a offert une visite des badlands sans pareille !

Merci à mes compagnons de randonnée en Saskatchewan, Evan Quick, Sue Ashburner, Sharon Elder et Brian Elder. Ils m'ont fait découvrir les plus beaux coins de Regina et de Saskatoon, et de nombreux endroits entre ces deux villes.

Merci à Sheldon Nitkin et à Kevin Vassolo, des bureaux Vistek à Toronto et Calgary. Ils ont réussi l'incroyable tâche de me faire livrer mon plateau de trépied par deux membres d'équipage de WestJet, Brittany MacPhee et Donald Rees. La photo nocturne du pont de Saskatoon n'aurait pas été possible sans le succès de ces efforts combinés.

Mon dernier remerciement n'est pas le moindre. Je l'adresse à Brooke Huestis pour le succès de sa démarche auprès de notre premier ministre, Stephen Harper, qui a consenti à signer la merveilleuse préface de Canada en couleurs. J'en suis très honoré.

CRÉDITS PHOTO : Mike Grandmaison / www.grandmaison.mb.ca, page 176
Sean Fischer, pages 315 et 318

Peggy's Cove is a picturesque village as well as a vibrant fishing community. According to folk tale, a schooner ran aground and sank here in 1800. The lone survivor was Margaret, who locals called "Peggy", and this village bears her name.

PEGGY'S COVE, NOVA SCOTIA

Le pittoresque village de Peggy's Cove est une communauté de pêcheurs actifs. La légende raconte qu'une certaine Margaret ait été la seule survivante d'une goélette naufragée en 1800 et que les gens du village l'appelaient « Peggy ». Le village porte aujourd'hui son nom.

PEGGY'S COVE, NOUVELLE-ÉCOSSE

Small boulders mimic the distant landscape on the border of Auyuittuq National Park

PANGNIRTUNG, NUNAVUT

Des blocs de roc imitent le paysage lointain aux abords du parc national Auyuittuq.

PANGNIRTUNG, NUNAVUT

FOLLOWING PAGES | PAGES SUIVANTES

A new day steams through a warm front on the St. Lawrence River

NEAR GASPÉ, QUÉBEC

Un jour nouveau s'annonce avec un front chaud sur le fleuve Saint-Laurent.

PRÈS DE GASPÉ, QUÉBEC

Clouds hover over the massive 70 Mile Butte which rises 100 metres above the valley floor – the highest point in the park's West Block.

GRASSLANDS NATIONAL PARK, WEST BLOCK, SASKATCHEWAN

Des nuages flottent au-dessus de la butte 70-Mile. Cette butte s'élève à plus de 100 mètres au-dessus du fond de la vallée. C'est le point le plus élevé du bloc ouest des prairies.

PARC NATIONAL DES PRAIRIES, BLOC OUEST, SASKATCHEWAN

Navigating the St. Lawrence River, many French ships found shelter in the small bay of "Le Mouillage des Français".

ISLE-AUX-COUDRES, QUÉBEC

De nombreux navires français qui naviguaient sur le Saint-Laurent ont trouvé refuge dans la baie appelée « Mouillage des Français ».

ISLE-AUX-COUDRES, QUÉBEC

At the ready for outdoor adventure.

GROS MORNE NATIONAL PARK,
NEWFOUNDLAND AND LABRADOR

À vos marques pour un brin d'aventure
en plein-air.

PARC NATIONAL DU GROS MORNE,
TERRE-NEUVE-ET-LABRADOR

Rugged sandstone and clay
formation, carved by meltwater and
smoothed with age, served as an
important landmark for settlers,
police and thieves.

BIG MUDDY BADLANDS, SASKATCHEWAN

Sculptée par la fonte des glaciers et
lissée par le temps, cette formation
de grès et d'argile inhospitalière a
longtemps servie à la nagivation des
colons ainsi que celle des policiers et
des voleurs.

BIG MUDDY BADLANDS, SASKATCHEWAN

EXPLORE CANADA'S ARCTIC
2 COLD
N.W.T. CANADA

EXPLORE CANADA'S ARCTIC
-40°
N.W.T. CANADA

EXPLORE CANADA'S ARCTIC
WILD 1
N.W.T. CANADA

EXPLORE CANADA'S ARCTIC
GO 4 IT
N.W.T. CANADA

Maintaining law and order in style, the scarlet uniform and black horses are a stereotype worth embracing.

RCMP HERITAGE CENTRE, REGINA, SASKATCHEWAN

Le maintien de l'ordre public a du style ; la tunique écarlate et le cheval noir sont des symboles qui prennent de l'âge, mais que l'on affectionne toujours.

CENTRE DU PATRIMOINE DE LA GRC, SASKATCHEWAN